JULI

Julie Bonnie, née à Tours en 1972, est chanteuse, guitariste, violoniste, compositeur et écrivain – elle a donné son premier concert à 14 ans et a chanté dans toute l'Europe pendant plus de dix ans. Après la musique, elle s'est lancée dans l'écriture avec : *Chambre 2* (Belfond, 2013) – lauréat du prix du roman Fnac 2013 et en cours d'adaptation au cinéma –, *Mon amour,* (Grasset, 2015), *Alice et les orties* (Grasset, 2016) et *Barbara, roman* (Grasset, 2017). Julie Bonnie est aussi l'auteur de plusieurs ouvrages jeunesse publiés aux Éditions du Rouergue, chez Albin Michel Jeunesse et aux Éditions Le label dans la forêt. En 2019 paraît son nouveau récit, *C'est toi, maman, sur la photo ?*, aux éditions Globe.

BARBARA, ROMAN

JULIE BONNIE

BARBARA, ROMAN

BERNARD GRASSET
PARIS

Ceci est un roman, librement inspiré
de la vie de la chanteuse Barbara.

Pocket, une marque d'Univers Poche,
est un éditeur qui s'engage pour la préservation
de l'environnement et qui utilise du papier fabriqué
à partir de bois provenant de forêts gérées
de manière responsable.

© Éditions Grasset & Fasquelle, 2017.
ISBN : 978-2-266-28680-0
Dépôt légal : mai 2019

Pour Nic, Justine et Félix.

Il pleut, sur Nantes, donne-moi la main.

BARBARA, *Nantes*.

Sûr, il m'a fallu un sacré goût de vivre, une sacrée envie d'être heureuse, une sacrée volonté d'atteindre le plaisir dans les bras d'un homme, pour me sentir un jour purifiée de tout, longtemps après.

BARBARA, *Il était un piano noir...*
Mémoires interrompus.

Monique, huit ans, tourne en rond dans le salon étroit. À sa grand-mère qui tricote, elle répète en boucle :

— Je serai pianiste, Grany, et je serai chanteuse.

Agitée, rapide sur ses grandes jambes maigres, elle sautille autour du mobilier, manque renverser la lampe, dérange le tapis.

L'aïeule, lasse, s'empare d'une feuille de papier qui traîne là, et dessine à la hâte une série de touches noires et blanches.

— Voilà ton piano. Tu joues et tu chantes. Au boulot maintenant.

L'enfant reste bouche bée. Un piano. De papier, certes, mais un piano. Sans attendre, elle se colle à sa moelleuse grand-mère, assise sur le canapé jaune, pose sur ses genoux la feuille devenue magique et tapote de ses doigts graciles. Elle ne virevolte plus, ne s'agite plus, appliquée sur le concerto qu'elle est en train d'inventer. Grany, satisfaite, écoute, sourit, ferme les yeux, tout en caressant les longs cheveux noirs de la jeune pianiste. Les deux corps, l'un minuscule et osseux, l'autre ample et généreux, se balancent en rythme. La scène serait étrange pour une oreille sourde à la musique qui résonne dans leurs têtes. La Moldavie d'antan, dont Grany parle tous les jours avec nostalgie, se transforme en arpèges et contre-chants, silencieux pour le reste du monde, harmonieux et compliqués pour qui les entend. Le village de l'Est, croulant sous le poids des années, les cheminées qui crachent une fumée parfumée à la soupe, la neige qui recouvre les rues minuscules. Des femmes se dandinent dans de vieilles chaussures usées.

Monique tend la main droite vers le front de sa grand-mère et tapote la peau fripée. Dans un éclat de rire :

— Et ça c'est le son des cloches de l'église, il nous faut une tête vide et un grelot.

Grany attrape la minuscule main et fait mine de la croquer.

— Rends-moi ma main, vilaine clochette. Je dois jouer mon concerto.

Puis, tout bas et attentive :

— Écoute, Grany. Je te joue la neige.

Un passage crissant en *la* mineur évoque les cristaux de glace, grand-mère et petite-fille sont très concentrées, quand une voix les rappelle à l'ordre.

— Monique ! Ta note en arithmétique ! Quand vas-tu te décider à travailler ?

La taille épaissie par la grossesse en route, une jupe élimée, un pull qui n'a plus d'âge, les lunettes embuées, la mère de Monique porte un cabas plein au bout de chaque bras. Grany se lève du canapé pour prêter main-forte à sa fille, une trace de pitié dans le regard. L'enfant plie en huit le précieux piano-papier, le fourre dans sa poche et s'éclipse.

— Pourquoi ne peut-elle pas avoir d'aussi bonnes notes que son frère Jean ? À huit ans, elle ne comprend pas les leçons, qu'est-ce que cela donnera plus tard ? Son maître dit qu'elle n'écoute pas, reste des heures à rêver. Toute la classe rit en la regardant faire le clown, et elle, elle est punie.

Un sanglot étouffé. Les résultats de Monique ne sont pas sa plus grande angoisse, cela s'entend dans la voix fragile, brisée par endroits. Grany aide sa fille à ranger, cherche des mots pour la réconforter.

— Veux-tu que je reste plus longtemps ?

— Non, maman. Rentre à Paris. Je te remercie.

Au jardin, Monique parle aux arbres, danse et chante. Oublier l'école et l'arithmétique, chorégraphier une révérence solennelle et crouler sous les applaudissements de chaque brin d'herbe, son meilleur public. Elle sautille le long du mur en pierres, le caresse de la main au passage, rêve de porter une longue robe de satin, un extravagant chapeau assorti, bleu ciel, sur la tête. Bouger le corps souple pour que la robe imaginaire tourbillonne. Dans un château, tout en dorures et arabesques, se consumer d'amour pour un prince, qui doit arriver demain, lui jouer un récital empli de nostalgie. Le piano-papier se love au creux de sa main, dans la chaleur de sa paume. Il reçoit le flux du cœur, la sensibilité des émotions, il entend la voix, sa voix de petite fille perdue dans les rêveries.

Ma mère ne peut pas comprendre. À l'école je n'apprends rien. Je veux être pianiste. Apprend-on à être pianiste à l'école ? Bien sûr que non. À part cela, rien ne m'intéresse. Les maîtres sont méchants, les filles cancanent. Je les amuse, ça m'occupe. Le reste, je n'y entends rien.

Monique retourne dans la maison de pierre par l'arrière-cuisine, nous sommes à Roanne, année 1938. Elle balance ses chaussures, traverse en trombe les odeurs de ragoût et monte dans la chambre qu'elle partage avec son frère, Jean. Assise sur le lit, elle sort de sa poche le piano-papier, le pose sur ses genoux. Quelques notes s'évaporent et peignent une histoire. Elles racontent les déménagements. La famille arrive de Paris. Non. De Paris, puis de Marseille, mais ils n'y sont pas restés longtemps. Elles jouent la tension sale qui règne dans la maison de Roanne, les bruits clinquants, le carrelage de mauvaise qualité, les chuchotements qui fabriquent les secrets dont on ne parle pas aux enfants, les valises sous les sommiers. Ils sont arrivés ici il y a peu de temps, sans espoir d'y rester. Ne pas s'installer. Elles chantent les bains à l'eau froide au milieu de la cuisine, dans une bassine, pour la mère et les enfants. Elles murmurent le père, qui se rase face à l'évier, plus tard.

Au repas, le piano est posé à côté de l'assiette.

— Range ce bout de papier, il n'a rien à faire sur la table.

— C'est mon piano, maman. Il a besoin de manger, lui aussi. Je partage avec lui.

La mère lève les yeux au ciel.

À l'école, Monique est un clown, mais n'a pas vraiment d'amies. On la trouve étrange, à rêvasser dans son coin, souvent ses blagues sont déplacées. Trop maigre aussi, on dirait une pauvre.

Dans une odeur de tabac brun, de vin rouge et d'eau

de Cologne, le père apparaît le soir, pour dire bonne nuit. Toujours le même rituel. D'abord, l'homme embrasse Jean sur le front et lui donne une tape amicale sur la joue, plus une caresse qu'une tape. Ensuite, il vient s'asseoir sur le lit de sa fille, la blottit contre son torse. Il serre son étreinte, embrasse le haut de la tête, renifle l'endroit du cou qui dégage une odeur aigre-douce.

— Bonne nuit, sauterelle.

— Bonne nuit, papa.

La petite se hisse vers le visage de son père pour y déposer un baiser. Il éteint la lumière, ferme la porte en partant. Le piano, soigneusement plié, dormira sous l'oreiller. Puis les yeux se ferment et s'envolent les rêves.

De quoi vit la famille ? C'est un mystère. Le père part au travail le matin et revient le soir, pourtant il arrive que l'argent manque si cruellement qu'il n'y a plus rien à manger. Ou plus de chauffage. Ou les deux. L'autre nuit, une dispute a retenti dans le silence. Un problème de jeu.

Un jour d'automne, les enfants sont à l'école, la mère s'affaire dans la cuisine, on sonne à la porte. Deux sinistres messieurs disent à peine bonjour. Un courant d'air gelé chasse de la table le piano-papier oublié par Monique. Il tombe au sol, balayé, piétiné par les godillots aux semelles de bois. Les hommes s'emparent d'une grande partie du mobilier, sans un mot. Plusieurs allers et retours, porte ouverte sur le vent, les bras chargés des chaises, tables, linge. Le grand miroir du salon trouve une place dans leur camionnette à coups de sueur et de jurons. Ils laissent la mère de Monique meurtrie et immobile.

Où es-tu mon piano, mon précieux piano ? Que s'est-il passé ici ? Ils ont tout pris ? Maman reste muette, me regarde m'affoler sans bouger un cil. Maintenant elle me gronde, dit que je ne pense qu'à moi. À qui veut-elle que je pense ? J'essaie seulement d'exister. Comment comptent-ils s'en sortir si on vient nous voler jusque chez nous ? Déjà, il a fallu quitter Paris, puis Marseille. Ici, la vie n'est pas meilleure. Maman pleure beaucoup. Papa n'est jamais là. C'est pour eux que je joue. Pour mettre de la couleur.

Il est retrouvé, le piano, défroissé puis embarqué dans la chambre glaciale. Monique joue. Le désastre alentour disparaît pour laisser place à une mélodie qui remplit le vide, à satiété. Le cœur s'apaise et reprend sa place dans la cage thoracique.

À peine une semaine plus tard, dans une C4 vert foncé, la famille déménage, le peu qu'il lui reste tassé dans le coffre. L'urgence de la froidure et de la pauvreté.

En boule sur le siège arrière, Monique feint de dormir. En secret elle s'imagine poursuivie par des bandits. Impatiente, ses doigts pianotent dans le vide, une mélodie saccadée, haletante. Une cavalcade de grand orchestre. La fuite est excitante. Dissonance, rage, trouille, frissons. La musique n'est ni triste ni fatiguée, elle vibre dans l'aventure. Le père conduit, sûr de lui, cigarette sur cigarette. Il se retourne de temps en temps, taiseux, pour s'assurer que tout va bien.

L'appartement du Vésinet dans lequel ils atterrissent tient dans un mouchoir de poche. Lorsqu'elle entre dans la chambre qu'elle va partager avec son frère, Monique trouve sur le rebord de la fenêtre un sac en toile kaki. Une sangle permet de le porter sur le dos. Elle passe sa trouvaille par-dessus sa tête et se pavane en sautillant dans le couloir.

C'est un objet magique, qui décuple mes forces. Grâce à lui, je peux devenir invisible. Ou alors je peux devenir grande. Ou bien je peux lire dans les pensées, décider d'être ailleurs.

Sa mère lui interdit d'emmener le sac dans sa nouvelle école. Elle invente des histoires, on ne débarque pas en milieu d'année sans raison. La maison a brûlé. Le père a trouvé un emploi de patron. Nous devions changer de maison pour le chien qui va avoir des petits. Les cours de chant sont bien meilleurs au Vésinet. C'est selon. Très vite, les filles commencent à parler dans son dos. Elles l'appellent la menteuse.
La mère s'inquiète. Il lui revient aux oreilles certaines des élucubrations de sa fille. Ce n'est pas normal de raconter des trucs pareils.

En allant acheter le pain, maman me serre les doigts de toutes ses forces, comme si j'allais m'échapper. Je dois dire bonjour madame et bonjour monsieur alors qu'on ne me salue pas. Maman baisse les yeux. Moi, je regarde tout droit leurs lèvres pincées. Elle me demande d'être polie mais, autour, j'entends des mots terribles. On va tuer les Allemands, bon débarras. J'imagine du sang partout et des tas d'Allemands les uns sur les autres.

La mère s'absente plusieurs jours pour accoucher. Elle revient avec bébé Régine dans les bras et un ventre toujours aussi gros. On installe un berceau dans la chambre des parents. Le bébé pleure tout le temps.

Au café, les clients s'agglutinent autour du poste de radio. Les hommes suent, boivent. Ils vont « les buter », « défendre la France ». Certains se taisent devant Monique, tapent dans le dos du père. « Quelle jolie gamine tu as là. » Les regards insistent, dégagent des lueurs de peur, de pitié.

Mes jambes s'impatientent. Rentrons, papa. Les mains du diable s'accrochent à mes chevilles, il faut dégager les pieds, s'arracher à la pression gluante. Dans le creux de mon ventre, un drôle de sentiment. Je ne sais pas pourquoi on déménage tout le temps. Je n'ai pas envie d'avoir une petite sœur, il n'y a pas la place. Je voudrais ressembler à Colette, qui est bien habillée, première de la classe, mais je n'y arrive pas. Je ne sais pas comment on s'y prend. Les gens sont bizarres, ils parlent en douce, se cachent. Je sens bien que quelque chose ne tourne pas rond. Je ne suis pas sûre de vouloir tuer tous les Allemands, il y en a sûrement des gentils.

Dans la nuit, alors que Jean dort, Monique est réveillée par un drôle de bruit. Quelqu'un quitte l'appartement. Un pressentiment, une inquiétude. Elle sort du lit, court à la porte, apparaît en chemise de nuit sur le palier. Le père se tient là, surpris de trouver sa fille.

Tenue de soldat, énorme sac sur le dos, papa part à la guerre. On ne m'a rien dit, mais je sais. Je sais tout. Son visage est méconnaissable, ses yeux sont trop grands, sa bouche descend tout en bas, de chaque côté. On meurt à la guerre. Dans ma tête, des chœurs d'hommes, des cuivres qui marchent au pas, des tambours, des ordres hurlés aux oreilles. Mon père a peur, il n'arrive pas à le cacher.

— Retourne te coucher, ma sauterelle.

Il s'en va.

Monique reste debout dans la cuisine, figée, le temps d'avoir si froid que ses pieds s'anesthésient. Un silence lancinant s'installe. Les pleurs de la petite sœur retentissent, puis les pas de la mère qui se lève pour la consoler. Quelques notes de musique redonnent pied au vertige. Il faut aller à l'école, même aujourd'hui. Beaucoup de pères sont partis à la guerre. Les enfants parlent d'eux en héros. Ils vont gagner.

Dans les semaines qui suivent, Monique s'efforce de ne pas encombrer. Sa mère est débordée par le bébé, les courses, les repas, les escaliers à monter. Souvent elle s'énerve, sa voix devient stridente, ses gestes saccadés. Aucun mot n'accompagne l'absence du père. Elle est posée au milieu du salon, il faut la contourner, au milieu de la table, elle ne laisse aucune place aux assiettes et aux couverts. Dans la chambre, elle autorise quelques centimètres au bord du lit. Une absence si envahissante qu'elle empêche toute la famille de respirer.

Retenir son souffle. Pour ne pas jeter un sort. Serrer si fort le ventre que le père reviendra vivant. Ou compter jusqu'à trois mille avant de s'endormir, ou appuyer sur ses yeux jusqu'à ce qu'ils entrent dans le cerveau. Ne marcher que sur les lignes des trottoirs. Pour le sauver.

Les voisines viennent souvent boire le thé, donner des conseils. Elles arrivent à deux ou trois, parfois plus, leurs voix aiguës résonnent dans la cage d'escalier. Elles sentent les poireaux et la cire, se réfugient dans la cuisine, où leurs fesses se touchent tant elles sont volumineuses et la pièce exiguë. Quand un enfant montre le bout de son nez, elles se taisent, mais elles ne sont pas assez rapides. « Tu ne devrais pas les garder », « Tu n'y arriveras pas ».

J'entends les sanglots de maman, la nuit. Elle marche, boit une tisane, retourne dans sa chambre, le bébé pleure. Hier, elle ne savait plus pourquoi elle était là, avait perdu tous ses mots. Elle a cherché ses lunettes pendant deux heures, les a retrouvées dans le garde-manger. Elle m'a dit de ne pas parler de Grany aux voisins du sixième parce qu'ils n'aiment pas les étrangers. Maintenant, ma grand-mère vient de Normandie, elle mange des pommes. Maman a crié : « Des pommes, tu entends ? Des pommes ! » Je n'y comprends rien.

Quand tante Jeanne débarque à la maison, Monique et Jean sont sommés de préparer leurs valises. Tout a été organisé dans le plus grand secret. On ne parle pas aux enfants. Dans les bras, bébé Régine s'est tue. Monique enlace sa mère de toutes ses forces, puis, chacun sa valise à la main, les enfants suivent la tante dans l'escalier. Ses talons claquent sur la mosaïque bleu clair, ils vont vite. Ne ratons pas le train.

Tante Jeanne est grande, mince, étirée comme un élastique, je n'ai jamais vu un chapeau pareil, avec des plumes, des fleurs, une voilette. Elle marche comme un flamant rose, tous ses pas sont exactement de la même taille. Je cours pour la suivre, ma valise est lourde. Elle ne se retourne pas. J'ai mon piano, mon sac magique. Je transpire et je pense à papa. J'imagine les bombes qui explosent autour de lui, je me jette sur son corps inanimé, du sang coule de sa bouche. À l'aide de bandages, je protège les plaies ouvertes, mes pieds s'enfoncent dans la boue jusqu'aux chevilles. Je déchire ma robe, la même que tante Jeanne, pour garrotter l'hémorragie.

— Dépêchez-vous les enfants, le train ne nous attendra pas.

J'aperçois un panneau POITIERS, en courant sur le quai. Nous grimpons dans un wagon, le train démarre. Je ferme les yeux. Cela ressemble à un tribunal ou à un peloton d'exécution. Aucune hésitation. Je hisse l'arme à l'épaule et je tire sur l'assassin de papa. J'ai même le courage de le regarder droit dans les yeux. Jean dort. Le paysage défile. Une voisine croque dans une pomme. J'entends maman : « Des pommes, tu entends ? Ta grand-mère mange des pommes ! » Puis je me retrouve au front, à porter sur mon dos mon pauvre père qui a perdu ses jambes. Les moignons laissent derrière nous des rivières de sang écarlates. Dans ma poche, le piano joue vite, dans les graves, la musique de la guerre. Maintenant Jean pose sa tête sur les genoux de tante Jeanne. À quoi pense-t-il ? Sauve-t-il papa, lui aussi ?

Le train stoppe en pleine course, voie ferrée endommagée. Les voyageurs attendent, incertains. Jeanne s'adresse aux voisins, qui n'en savent pas plus. Certains descendent observer. Puis la vie se fige, les cœurs martèlent à l'unisson. Fort, vite, inquiets. Un bruit assourdissant arrive de là-bas, du ciel, il se rapproche. Les voyageurs se regardent, affolés, les adultes ont compris, ils cachent les petits sous les sièges, bouchent leurs oreilles, les blottissent en boule dans leurs bras. Jeanne tient les mains de Monique et Jean. Ils sont recroquevillés au sol, les uns contre les autres. La terre tremble sous le bruit. Un avion bombarde.

C'est normal qu'on nous attaque, on veut tuer tous les Allemands, les entasser avec du sang qui coule, alors, ils se vengent.

Le temps s'arrête, long, pesant, puis des hurlements jaillissent du dehors. Il y a des morts et des blessés. Le wagon de Monique n'est pas touché, elle regarde à la fenêtre alors que Jean garde sa tête sous le bras de Jeanne, yeux fermés pour rester calme.

Un vieil homme s'extrait du train en hurlant, le corps en sang, pour venir s'écrouler dans les herbes hautes. Sa voix s'échappe encore un peu de son corps, rauque, elle accompagne le liquide épais, rouge vif, que plus rien ne retient, un drôle de *clac*, puis le silence. On se précipite vers lui, on s'affole, on s'agglutine. Regarder mourir, sans bouger, paralysée.

Une femme attrape le bras de Monique et lui ordonne de se remuer et de rapporter du lait. Des enfants ont faim !

Un campement de fortune s'établit dans une école voisine de l'épave. Les fermiers d'à côté fournissent de quoi se nourrir. Des secours ont emporté les malades et les morts. Ils ont mis du temps à arriver, du temps à emmener. Monique et quelques enfants font le tour des fermes. Sur le chemin du retour, ils rejouent la scène. Les uns après les autres, sortir du wagon imaginaire – un reste de cabane en bois abandonnée –, hurler, puis s'écrouler dans l'herbe, feignant la mort.

J'agonise au moins trois fois, imitant du mieux que je peux l'étrange *clac* sorti de la gorge du vieil homme. J'adore ce jeu. Les autres m'applaudissent.

Les voyageurs resteront piégés en pleine campagne pendant dix-sept jours, durant lesquels Monique et ses copains inventeront une multitude de jeux. Ils mimeront les pilotes nazis, dont les avions, parfois, s'écraseront directement sur le train, entraînant des morts dans des souffrances atroces. Ils imagineront capturer un prisonnier et le tortureront, à l'abri des regards adultes, grâce à des ustensiles pointus. Ils rivaliseront d'idées macabres. Un après-midi, ils organiseront un mariage ; un autre, la naissance d'un enfant.

Je me déguise, de la terre pour dessiner une croix gammée, de la paille dans les cheveux pour jouer la mariée, un fichu ramassé au sol me transforme en pilote d'avion. Je me régale à devenir quelqu'un d'autre, à inventer une autre vie.

Le piano-papier ne la quitte jamais. Le soir, allongée sur une couverture à même le sol, elle se rejoue la comédie du jour en musique. Son imagination va beaucoup plus loin que dans les jeux, à s'en ficher la trouille.

Enfin, on vient les chercher. L'armée encadre le rapatriement des naufragés hirsutes, sales, épuisés.

À Poitiers, tante Jeanne laisse les enfants chez des amis, un couple de médecins. Ils ont installé une chambre dans le grenier. Deux matelas au sol, des vieilles malles, une lampe dont la silhouette évoque un épouvantail, pas de fenêtre.

Pendant plusieurs mois, la vie reprend. Une nouvelle école, une nouvelle ville. Jean parle peu. Souvent, Monique visualise un grand vide dans son corps. Entre les deux poumons. C'est là que son père lui manque.

J'imagine maman dans le petit appartement du Vésinet. Elle prépare le repas, son tablier à fleurs autour de la taille. Elle change bébé Régine, sur le lit recouvert des draps jaunes. Je ne dois pas dire que je suis juive. J'ai appris une prière catholique et je suis baptisée. Ma famille vient de la Normandie. Tous les dimanches, nous allons à l'église. Les gens sont sérieux, ne sourient pas. À l'école, des filles ont perdu leur papa. On m'a dit que c'était la faute des juifs. À cause d'eux, la guerre.

Un après-midi de sortie de classe mélancolique, Monique traîne les pieds pour rentrer, l'hiver neigeux souffle dans ses cheveux. Au loin, une silhouette paraît familière. Elle ne veut pas y croire. Encore son imagination qui lui joue des tours. Elle ralentit le pas, pour garder le doux mirage. Si ce grand homme maigre, en uniforme, qui guette les enfants à la sortie de l'école est bien son père, que ce moment dure éternellement. Un signe de la main, elle court vers lui. Son odeur a changé, ses joues piquent, il tremble. Elle garde le nez dans le cou géant du soldat. Qu'on ne le lui reprenne plus jamais. Elle pense à tout ce temps consacré à le protéger, le soigner, panser ses plaies. Elle l'a sauvé. Il se tient devant elle, vivant. Aucun mot n'est prononcé, juste le sang qui se rue joyeusement dans les veines.

La mélodie céleste alterne accords majeurs et chœurs cristallins, les basses sont enlevées, un ragtime moelleux, le piano-papier s'en donne à cœur joie.

Le père-soldat, héros du jour, grand et magnifique, repose la demoiselle sur ses pieds, se racle la gorge.

— Je n'ai pas beaucoup de temps.

Dans sa poche, il glisse quelques sous, disparaît et la plante là. Les basses de tout à l'heure dégoulinent en dissonances, les chœurs se taisent. Seul un gémissement en *mi* bémol, affreusement aigu, martèle derrière ses yeux. Les pas sont lents, sur le chemin du retour. Avec l'argent qu'elle s'agace à compter et recompter, elle achète du Zan. Arrivée à la maison, il n'y en a déjà plus. Reste l'écœurement du goût amer et ferreux.

Une année passe. Petit à petit, les parents, le foyer, l'idée du calme s'estompent. La survie devient l'unique mode de fonctionnement. L'inquiétude s'agrippe aux vêtements, dort dans le lit, se brosse les dents. Tellement présente qu'on oublie de la remarquer.

Les maisons changent. Les amis médecins ont refilé les enfants à un fermier, qui les a installés chez les voisins. La valise devient leur meilleure amie. Ils ont de quoi manger, un toit sur la tête. Ils ne manquent de rien, sauf d'affection et d'explications. Ils ne savent pas non plus si le lendemain ils boucleront leurs valises pour rejoindre une nouvelle famille, et si un jour ils reverront leurs parents. Le père est peut-être mort. La mère aussi. Et Grany, où s'est-elle cachée ? Chaque heure qui passe sans mauvaise nouvelle est une heure gagnée.

Je flotte. Je ne suis jamais où je devrais être. La nuit, je demande à la lune : « Tu la vois, la guerre ? » Dans la maison, tout semble normal, pourtant on assassine à portée de main, on ne parle que de ça, des gens meurent à même le sol, sans funérailles. Lorsque je pose mes pieds nus dans l'herbe, je sens l'humidité de la terre, et je me dis « tu n'es pas morte ». Mon ventre se serre. Je ne sais pas pourquoi, cela me donne envie de vomir.

Tout s'accélère un samedi après-midi. Dans la petite cuisine on s'agite, des gens entrent, chuchotent, repartent. Monique, Jean, faites vos valises. Tante Jeanne apparaît dans un nuage de parfum et d'élégance. En route, les enfants.

Pas de questions. Ils ont trop peur de la réponse.

La destination, c'est Tarbes, où les parents les attendent. Le père a été démobilisé, la mère a loué cette petite maison de ville, avec un étage pour les chambres d'enfants, chacun la leur. Devant eux, l'été entier, pas d'école, le soleil. Ils sont heureux de se retrouver, ils se serrent, la mère pleure en voyant ses enfants grandis et changés.

Papa est sombre, maman à nouveau enceinte, la guerre colle à mes semelles. Nous sommes en danger. J'ai entendu qu'on emmenait les juifs. Nous sommes juifs. Je ne sais pas pourquoi. Maman a peur, elle n'arrive pas à le cacher. Elle s'énerve tout le temps. L'autre fois elle a craché au visage de papa : « S'il y a une rafle, c'est toute la famille qu'ils emmènent. »

Au matin, dimanche, la chambre est baignée de soleil, un merle siffle, une brise, chaude déjà, souffle sur les branches du mûrier. Monique se lève, fourre le piano-papier dans sa poche, descend au jardin rejoindre sa mère qui, la petite Régine sur une hanche, étend le linge d'une main.

— Tiens, tu tombes bien, toi. Occupe-toi donc de ta sœur, s'il te plaît.

Monique tend les bras vers la petite qui blottit son visage dans le cou maternel en secouant la tête. La mère s'irrite :

— Évidemment, tu t'y prends mal, personne ne voudrait aller avec toi.

Elle tend à nouveau les bras, passe les mains autour du bébé et force un peu pour qu'elle cède. La petite hurle.

— Mais enfin, Monique ! Qu'est-ce que tu fabriques !

— Rien, maman... Je...

— Oh ! là, là ! Déjà qu'il faut tout faire ici, ma propre fille n'est pas fichue de m'aider ! Allez, file, je n'ai plus besoin de toi. Et puis va t'habiller, tu es indécente dans cette tenue.

Deux boules douloureuses se sont formées dans la poitrine, les fesses ont grossi, des odeurs émergent parfois de la peau, inconnues.

J'essaie de ne pas y penser. Cela disparaîtra peut-être. Je me dis que j'aimerais être belle. Mais je crois que je suis plutôt moche. J'ai bien compris que les gens guettaient ces transformations, au passage, j'ai attrapé des sourires en coin. Je me demande à quoi je vais ressembler avec tous ces trucs qui poussent. Tiens, je vais mettre cette robe, je l'aime bien, on dirait presque une dame. Je la mettrai pour mon premier récital en public, quand je serai grande.

Au petit déjeuner, du pain et de la chicorée. Le piano-papier joue une valse sirupeuse, qui accompagne

sa bonne humeur. Rentrer le ventre, joindre les omo-
plates, allonger le cou, pousser le sol avec les talons.
Être jolie, se sentir devenir une femme, comme tante
Jeanne.

Tout à coup, des mains sur la taille, Monique
sursaute, on dépose un baiser chaud dans son cou.
Stupéfaite, elle se retourne. Le père semble de bonne
humeur, lui aussi.

— Alors, bien dormi ?

— ...

— Ta mère me dit que tu n'as pas voulu l'aider
à étendre le linge ?

Le ton est amusé, les histoires de bonnes femmes
sont sans importance.

— Non, ce n'est pas ça... Je...

Elle verse l'eau dans le bol, le manche dérape, le
liquide s'échappe. Son père ne la quitte pas du regard.
Elle se sent observée.

— Papa ?

Elle lui trouve l'air perdu et triste.

— Oui ?

— Non. Rien.

Dans l'estomac, un courant d'air froid. Une trouille
en sueur dans les yeux profonds. C'est la guerre qu'on
y voit. Baisser la tête. Ignorer.

Elle se cache le reste de la journée dans le jardin
derrière la maison, où personne ne vient. Le spectacle
de *La Belle au Bois dormant* y sera préparé puis mis
en scène pour un public exclusivement végétal. Une
princesse malheureuse, enfermée dans la tour d'un
château, file la laine, entourée de sa seule solitude.
Couchée sur le lit, à attendre le baiser de son prince
charmant, elle s'éveille heureuse, bien qu'un peu

groggy par tant d'années de sommeil, se jette dans les bras, amoureuse. Une version plus personnelle, dans laquelle la princesse ne se laissera pas piquer par la quenouille, étranglera de ses mains la sorcière et pourra enfin quitter sa tour pour se rendre à un grand bal où elle rencontrera un jeune musicien aux doigts de fée, qui l'emmènera avec lui dans sa maison remplie de pianos, fermera la journée de représentations.

Les amoureux entament un menuet à quatre mains sur le piano-papier. Monique se démène pour jouer les quatre mains avec seulement deux. Le résultat est surprenant.

Entre deux versions du conte, elle rêve à la fenêtre. Le père s'approche à l'arrière de la mère, l'embrasse dans le cou. La femme épuisée le repousse brutalement.

— Viens par ici, mon araignée !

Elle s'approche de lui. Se laisse attraper, se débat en rigolant des chatouilles. Immobilisée, dos à lui, les bras croisés sur le torse, en camisole.

— Elle ne peut plus bouger, ma sauterelle ?

Elle éclate de rire, heureuse d'être l'objet de son attention.

Il caresse la hanche. Gigoter. Puis la main paternelle glisse vers le jeune sein.

— Dis donc, ça pousse ?

Sérieux, il tâte encore. Puis lâche.

— Papa, ça ne te regarde pas !

S'échapper de son étreinte en rigolant, feignant d'être offusquée par le geste.

Souvent, il passe la main dans les longs cheveux. Il dit « quelle merveille, ces cheveux, ma fille ».

Elle se laisse caresser, joue encore rebondie, minaude. Devant le miroir, elle s'offre des mimiques de starlette, roule des hanches, sur la pointe des pieds, une moue mignonne sur le visage.

Le samedi midi, ils partent tous les deux en balade. Ils ne vont pas loin. L'épicerie, la boulangerie, un coucou au café. Il est fier, le père. « Eh oui ! Ça grandit ! » Monique pétille au bras de l'homme revenu de la guerre.

Le soir, quand la maison est silencieuse, il frappe à la porte pour dire bonne nuit. Un secret.

Ils parlent peu. Il la serre contre son torse, il lisse ses cheveux. Fermer les yeux et se laisser bercer par l'odeur d'après-rasage, de tabac, de sueur. « Bonne nuit papa. » L'homme pose ses énormes mains sur le corps potelé.

Il arrive qu'une grande tristesse se dégage de lui. Il conjure une douleur. Elle ne voit pas que parfois, le nez enfoui dans ses cheveux, il verse des larmes silencieuses. Puis il quitte la pièce. Elle s'endort.

Un soir, il entre, joyeux.
— Toujours le piano ?
Sourire.
Il s'approche.
— Je ne te dérange pas ?
Non de la tête.
Il entre, ferme la porte derrière lui, en silence, se glisse contre sa fille, la serre dans ses bras, comme d'habitude. Se sentir bien, au chaud contre le torse épais. Profiter de ce moment de tendresse. Il caresse les cheveux, lui dit qu'ils sont beaux, encore. Il en attrape une mèche et la tortille en offrant un grand

sourire. Il passe la main dans le dos, sous la chemise de nuit. Ressentir un long frisson. L'homme embrasse dans le cou. Poser la tête sur son épaule, en confiance.

Dans une grande douceur, les mains qui effleurent descendent vers les fesses. Jamais il n'a posé ses mains là. Se figer. L'étreinte se raidit, brusque. Elle bascule dans le vide. Vertige terrifiant. L'homme force au rapprochement. Les mains devenues folles se baladent partout, entre les jambes. Se remplir de glace. Gelé, le sang arrête de circuler. Ne plus bouger. Ne plus sentir. Ne plus exister. Quelque chose tourne mal, la mort pénètre les muscles et le ventre. Pas de musique dans la tête. Dix ans et demi. Le père devient force et liane. Le géant souffle fort, serre à en péter les os, visqueux, des mouvements de boa constrictor. Une douleur écarlate surprend, explose au creux du ventre. Où va-t-il ? Pourquoi ? Il s'agite quelques minutes. Fou, dominé. Puis se retire. Prendre conscience de la destruction. Le ventre, bien en chair, un charnier. La main énorme relâche son étreinte. Pas un mot, il s'arrache.

Elle tremble, glacée. Les os s'entrechoquent, la douleur se tait. Griffer la cuisse, pénétrer la chair jusqu'au sang, s'enquérir de la présence de la vie. Ne rien sentir. Le sang coule. Froid. Sous l'oreiller, sa main glisse vers le piano-papier qui entame un accord de *la* mineur, ternaire, lent, triste. Le temps opaque s'arrête et la laisse seule au monde.

Joue, piano, joue.

Des juifs sont signalés rue des Carmes, à Tarbes. La famille explose à nouveau. Monique et sa petite sœur sont accueillies en Charente par des cultivateurs. Ses parents et bébé Claude se cachent dans une cabane du village ; parfois, ils se croisent dans la journée, doivent s'ignorer. Jean est en Suisse.

Puis ils se réunissent à Grenoble mais doivent encore se sauver dans le Vercors, où ils occupent successivement deux maisons et un appartement.

Ils viennent de s'installer à Grenoble une nouvelle fois lorsque Paris est libéré. Août 1944, Monique a quatorze ans. C'est la fin de la guerre, la fin de la fuite.

Bien sûr, nous sommes contents. Surtout les parents. Moi, j'aimais bien changer de maison tout le temps. Maintenant, je vais devoir habiter avec mon père. Je n'aurai aucun répit. Je le déteste.

Hier soir, il n'est pas venu. Monique ne ferme pas l'œil. Elle guette. Dans le silence, elle entend des sons étranges, tout près de ses oreilles. D'où viennent-ils ? L'eau glouglote sur le feu, dans la bouilloire.

Personne dans la cuisine ce matin-là, le brouillard tamise la lumière qui entre timidement dans la pièce, blanche. Elle traîne les savates dans le couloir, marche jusqu'à la gazinière. Les yeux fixes, le corps raide, elle croise les bras sur le ventre pour contenir une douleur. Défait le nœud des longs cheveux qui tombent sur les épaules et le dos. La robe de chambre est ceinturée à la taille, par-dessus une chemise de nuit en coton imprimé de minuscules perroquets. Elle attrape la bouilloire, s'apprête à servir l'eau pour la chicorée. Un bruit. Monique se retourne brusquement, la peur au ventre, se prend le pied dans la chaise, trébuche, manque tomber, se rétablit comme elle peut, la bouilloire projette un jet brûlant. Elle lâche tout, respiration bloquée. La douleur se propage par saccades de plus en plus puissantes, jusqu'à s'extraire du corps dans un cri sorti tout droit du centre de la terre. La mère accourt, puis le père. Emmenée d'urgence à l'hôpital, le sein brûlé.

Monique sursaute au moindre bruit.

À l'hôpital, ils ont découvert un kyste sur mon petit doigt, main droite. Ils ont opéré. Plusieurs fois. Jusqu'à ce que mon doigt ne retrouve plus sa mobilité. Il ne bouge pas comme avant, n'atteint plus l'octave sur mon piano. Ils ont dit que c'était définitif. Je ne serai pas pianiste.

Quand j'ai parlé à sœur Marie Josepha des visites de mon père, elle a dit que je devrais avoir honte de raconter de telles horreurs, que beaucoup de petites filles comme moi n'ont pas eu la chance de retrouver leur père après la guerre.

J'ai de la chance.

Après ma dernière opération, quand je rentre de l'hôpital, il y a des piles de cartons dans l'entrée. On déménage encore. Nous retournons à Paris, près de Grany. Un appartement dans le 20e arrondissement. Les frangins frangines et moi, on s'entasse à l'arrière de la voiture, papa conduit.

Dans l'appartement de la rue Vitruve, à Paris, la chambre est petite. Un lit, une table, le parquet au sol, les murs blancs, une commode pour les vêtements, une étagère pour quelques livres jamais ouverts, une chaise. Le dessus-de-lit bleu ciel, en laine chenille, recouvre des draps fleuris. Sur la table de nuit, la brosse à cheveux, un verre qui marque le bois de ronds foncés. De lourds rideaux d'une toile rigide habillent la fenêtre qui donne sur la rue, les bruits de la ville. Seize ans. Le corps a changé. Il a poussé, grandi, grossi. De façon aléatoire : d'abord le sein droit, puis la fesse gauche. Juste après, les hanches. Il a fabriqué du gras, de la chair en quantité. Le ventre, les jambes, les bras, les cuisses. Il déborde de partout.

Je suis trop grande. J'ai même dépassé mon frère Jean. Et puis grosse. Je sais. Il y en a partout. Impossible à retenir, toute cette croissance de bour-relets. Les robes me serrent à la taille, les manches étroites me scient les bras. Même les seins, que j'ai tant espérés petits, ont fini par décider d'eux-mêmes. Je mange trop, je mange tout le temps, j'ai faim en permanence. Souvent les cantatrices sont grosses, je me dis. Je veux être cantatrice.

Dormir est un calvaire. Les insomnies épuisent, à fixer les rideaux et imaginer. Le pire. Un soldat surgit du tissu, il est armé d'un couteau, il s'approche et exige qu'elle se déshabille entièrement. Il détruit de son regard avide. Des sueurs froides glissent le long des jambes. La peur paralyse. De la pointe de son couteau, il découpe. L'intérieur des bras puis une estafilade du sternum au pubis. L'intérieur des cuisses, les mollets, le couteau s'enfonce, le sang dégouline. Ressentir la douleur, se tordre, supplier. Le couteau suit le contour des aréoles, l'homme respire fort. Contact de l'uniforme avec la peau nue. Dans la tête, chanter l'opéra. Les aigus explosent le cristal. Puis elle rabat le drap et la couverture sur son corps blessé, éteint la lampe et cherche ailleurs le sommeil. Ou alors elle se concentre, les yeux fermés, jusqu'à se trouver si proche de sa propre mort que son corps doit sursauter pour s'en échapper. Approcher le vide, néant absolu, se retrouver sur la pointe des pieds, en équilibre au-dessus de l'abysse, tenter quelques millimètres encore, chatouiller le diable. Pousser un cri silencieux, ouvrir les yeux, le cœur battant, la respiration courte. S'étonner d'être en vie.

Certains soirs, son père entre dans la chambre.

Je fais comme si cela n'existait pas. Une double vie. Je sais que cela arrive, mais je le tais, je l'oublie, je l'éteins. J'agis comme si de rien n'était. C'est la seule solution, il n'y en a pas d'autre.

Glissé dans son soutien-gorge, le piano-papier ne la quitte jamais. Caché là, il joue pour elle, qui brave les éléments, tient debout, sourit. Pourtant, à l'intérieur, c'est l'incendie. Des parties brûlent, dans un cri en permanence étouffé. La musique du piano-papier lui permet de ne pas mourir tout à fait, de ne pas tuer.

Depuis quelques mois, elle prend des cours de chant lyrique avec l'amie d'une amie de Grany, trois fois par semaine, après l'école. Elle sera cantatrice. Monique rentre de ses leçons la tête remplie d'exercices et de grande musique. Verdi, Purcell, Bizet. Apprendre à placer la voix. Les graves résonnent dans le front, les aigus dans le sol. Travailler les phonèmes, le A, le I, le O. La bouche bien ouverte, garder la rondeur du son de tout en haut vers tout en bas. Apprendre à respirer, prendre conscience de son diaphragme, remplir son corps d'air, le stocker dans le dos, les aisselles, sous les clavicules. Respirer dans tous les organes. Gagner de la place à l'intérieur, s'épanouir, découvrir des zones de résonance inattendues : les reins, par exemple.

Chez Mme Dusséqué, la professeure de chant, il y a un piano. Un vrai, qui résonne, que le monde entend. Maintenant, Monique rêve d'avoir un piano. Tant pis pour le petit doigt, elle se débrouillera. Souvent, à table, elle en parle. Son père n'a pas dit non. Il paye les cours de chant. Il pourrait bien payer le piano. Il pourrait payer.

Il lui fait la surprise. En début de soirée, un mercredi, on sonne à la porte. Quatre gaillards essoufflés livrent un piano droit, en bois de chêne, à installer dans la chambre.

Quand je le vois, je me dis que je suis sauvée. Tous les moments de tristesse, je les passerai au piano. Au piano ma colère et mon angoisse, au piano l'envie de détruire. Les quatre gars m'apportent un remède à la vie. Ce piano, je l'aime plus fort que tout. Instantanément.

Le père, la mère, Claude, Jean, Régine et même Grany, qui est de visite ce jour-là, se tiennent dans l'embrasure de la porte. Ils attendent, impatients.

Elle s'assoit sur le tabouret, ouvre le clapet. Elle prend une inspiration, il est impressionnant cet instrument. Elle tente une gamme. Un échauffement. Le petit public, figé là, en veut plus. Il attend un concerto, une prouesse. Ébaucher une mélodie main droite, un accord de *do* majeur dans les basses. Les mains transpirent, les regards pèsent leur poids sur les épaules. Jamais joué sur un vrai piano. Elle se retourne vers eux, balbutie des syllabes inintelligibles, s'excuse. Ils applaudissent malgré tout et s'en vont. Fermez la porte, s'il vous plaît. Tâtonner, essayer, comprendre, recommencer, se perdre, trouver, recommencer, recommencer, recommencer.

Pendant de longs mois, elle travaille. Le piano et la voix.

Quand il entre dans ma chambre, c'est mon père. Puis en un instant, il se transforme. Il est fou, gouverné par un démon. Personne ne sait de quoi il est capable. Personne sauf moi. Il sait qu'il me démolit. Pourtant il revient. Puis, il loue un piano, paye des cours de chant, raconte partout que sa fille est chanteuse. Personne ne sait. Il m'oblige à garder son secret.

Certains soirs, Monique est prise de spasmes incontrôlables. Elle tremble de froid, grelotte. Des gouttes de transpiration dégoulinent le long des tempes, paradoxales. Recroquevillée, les avant-bras pliés sur le ventre. « Joue, piano, joue, joue. » Le piano-papier donne le meilleur, des valses, des morceaux de douleur tzigane. Elle se plie, se tord, cela paraît insupportable. Dans sa tête, elle crie : « Joue, piano, joue. » Ses ongles pénètrent la chair de ses avant-bras, jusqu'à la déchirure. Elle arrache. Aucune douleur malgré le sang. Une musique hurle, de toutes ses forces.

Premières vacances en Bretagne, toute la famille habite une cabane de pêcheurs, sur le bord de mer. Le ciel menace lorsqu'elle part en courant se réfugier au commissariat pour dénoncer son père. Elle n'en peut plus. Ses yeux débordent de rage, elle s'agite, balance tout.

— Il faut que ça s'arrête ! Vous comprenez ? Il n'a pas le droit de me toucher, il n'a pas le droit de venir me voir la nuit. Dites-lui, vous. Dites-lui que vous allez le mettre en prison.

Personne ne répond.

Un policier téléphone au père, lui demande de venir chercher sa fille.

— Veuillez l'excuser, messieurs, ma fille aime se raconter des histoires, c'est une drôle d'enfant. À coup sûr, ce sera une artiste, celle-là !

La fille et le père marchent côte à côte sur le chemin du retour. Sans un mot. Elle regarde le sol, les poings serrés. Devant la maison, il pose une main lourde sur l'épaule de Monique. « Ne recommence jamais ça, Monique, je t'aime trop. »

La chaleur de l'été illumine les maisons blanches.

Des roses trémières strient le mur, le bruit des vagues, au loin, assourdit.

Il m'oblige à garder son secret et il s'entoure de complices.

Tous les jours, Monique emmène sa petite sœur sur la plage. Des jeunes gens se retrouvent à quelques pas de leur campement. Ils chahutent, se jettent à l'eau en hurlant, ils sont bronzés et musclés. L'un d'eux, maigre et long, a la pomme d'Adam qui saille joliment lorsqu'il parle. Il se jette à l'eau et nage vers le large, puis il revient, fier. Lorsqu'il sort de l'eau, il regarde Monique. Un jour, il s'assoit à côté d'elle. Elle étire le cou, ôte ses lunettes, rentre le ventre.

Il a du mal à me regarder dans les yeux, obnubilé par mes seins. Il parle vite, propose de me retrouver au bunker. Je lui dis oui, pourquoi pas, je pourrais sûrement m'échapper de la maison. Je suis d'accord pour ce soir. Le voilà reparti, tout content. Je replonge dans mon livre, mais les phrases dansent.

Peu de mots. Ils s'embrassent avec la langue, adossés au mur. Lui, a des mains partout, assoiffées. Les seins, la taille, le cou, les fesses. Absente à l'action, elle laisse le garçon aller où il veut. Elle regarde de l'extérieur, par une fenêtre. Une main sous la robe, dans la culotte. Elle sent son érection. S'allonge, l'accueille à l'intérieur, puisque c'est cela qu'il désire. Le sentir s'agiter, souffler, soupirer, puis jaillir. Voilà. De la fenêtre extérieure, observer la

jeune fille au sol, surmontée d'un garçon qui remercie, qui n'y croit pas, heureux. Ne rien sentir de
tout le corps.

— On se revoit demain ?
— Si tu veux.

Trois jours plus tard, une voisine frappe au carreau, s'invite dans le séjour, démarche saccadée, affolée. La mère de Monique vient à sa rencontre, écoute ce qu'elle a à lui dire et s'effondre dans ses bras. Le temps s'arrête, les larmes coulent. C'est Grany. Elle est morte.

La berceuse moldave retentit dans la tête de Monique. La main posée sur le piano-papier, contre son sein, tremble, incontrôlable.

Elle s'approche de l'orpheline, restée seule avec sa peine immense, incapable de mettre un pied devant l'autre. Elle ouvre les bras. C'est si rare. La maman pose la tête sur l'épaule de sa fille et sanglote. La peine envahit, noircit le sang, parcourt les deux êtres, les lie pour toujours.

Sans un mot, il est acquis que Monique et sa mère iront ensemble accompagner Grany vers l'éternité. Les préparatifs pour le retour à Paris s'achèvent dans le silence. Elles essaient de s'ajuster à la mort, et c'est impossible.

Au cimetière de Bagneux, Grany repose sous les arbres qui bruissent.

La jeune fille et sa mère enlèvent leurs chaussures rue Vitruve, se lavent les mains. Leurs gestes sont lents, muets. La mère de Monique a les yeux boursoufflés, les lèvres crispées, des cernes ocre. Monique a le regard plus profond, son visage défie la mort, elle porte la tête haute, le menton en avant.

Je l'ai trouvée belle, le visage détendu, elle avait l'air plus jeune. Lorsque je me suis penchée sur le cercueil, mon piano s'est mis à jouer. La chanson de Moldavie. Je suis sûre que tu l'entendais, Grany, cette chanson, j'ai vu sur ton visage de cire se dessiner un sourire.

Assise au piano, Monique joue pour la chère disparue, pour qu'elle vive dans l'éternité. La maison de Grany et son odeur de thé, ses copines qui pépient dans les volutes de parfum, poudre et fleurs. L'accent de l'Est chante, les effluves de gâteaux épicés, cannelle et cardamome. Le son des tasses en porcelaine posées sur la table en chêne centenaire, quelqu'un ajuste le bouquet dans un cliquetis de bracelets en or fin, un éclat de rire cristallin, une cuillère en argent dans le sucrier, le feu de la gazinière crépite, on l'ouvre de temps en temps, pour voir si les biscuits sont cuits. Une discussion à voix basse dans la cuisine, des femmes rangent la vaisselle, les couverts tintent, cloches de fortune, confidences et torchons en lin, on raconte la Moldavie, l'oncle resté dans sa cabane, on se repasse, encore et encore, la fièvre de la petite Doulina et sa mort, dans les bras de sa mère, qui n'a jamais pu s'en remettre, et dont on sait qu'elle erre quelque part dans les rues du village. Les femmes connaissent si bien l'histoire qu'elles la transforment à l'envi. Elles ajoutent un nouveau détail, trouvent une autre idée arrache-cœur. Elles exorcisent. Elles ont abandonné la mère de Doulina au village, pour courir vers la France. Plus elles racontent la souffrance de cette femme, plus elles se tordent de culpabilité et courbent le dos sous le châtiment qu'elles doivent subir pour avoir choisi l'exil. La légende de Doulina, récit favori de la fin du thé. Après avoir tant ri, il est bon de s'attrister, pour atteindre une qualité d'émotion idéale. Puis les « au revoir », boucles d'oreilles en strass et perles, chaussures à talons, manteaux de laine épaisse, le rouge à lèvres sur les joues, chaque parfum de peau sucrée et fripée, les mises en pli réajustées dans le miroir, les embrassades à n'en plus finir. Rester en tête à tête avec Grany, fatiguée mais joyeuse, un dernier gâteau pour sa pianiste chérie, un chuchotement à l'oreille, « tu es belle, ma petite ». S'asseoir sur les genoux tendres, poser sa tête sur le sein, Grany chante tout bas et berce le petit corps qui s'endort, elle prend son ouvrage, discussion éraillée des aiguilles à tricoter qui fabriquent de la matière pour tenir chaud.

Dernier accord. Monique suspend le moment, mais il faut atterrir, les pieds sur le vilain carrelage du deuil.

— Merci, ose, tremblante, la mère de Monique, qui s'est approchée doucement. C'est très beau.

Je pourrais lui parler de papa maintenant. J'hésite. Je voudrais qu'elle ne soit pas complice. Des mots se précipitent dans ma bouche. Je pourrais me sauver et la sauver avec. Attend-elle que je lui dise ?

— Je suis sûre que Grany a chanté avec toi.

Les larmes encore.

Pas maintenant. Je la tuerais. Que se passerait-il ?
Une explosion. Il n'y a pas de bonne réaction à cette
vérité. Je ne pourrais que regarder son monde et sa vie
s'écrouler, par ma faute. Si je me tais, je la préserve.
Aussi je la quitte, je l'abandonne du côté de ceux qui
n'ont pas vu, à qui jamais je ne pardonnerai.

Un silence funambule les traverse, il tâtonne, il
tergiverse.

La voix d'un chanteur de rue résonne. Monique
ne parlera pas.

Les deux femmes se retrouvent têtes à la fenêtre,
à écouter la triste rengaine, en trémolos et sanglots
longs. La mère jette quelques pièces. Dehors le soleil
chauffe. La mélancolie de la chanson colle si bien
à leur humeur qu'elles se sourient, leurs épaules se
touchent.

C'est mieux comme ça. Nous sommes une famille,
elle en est la mère. Je ne veux pas tout briser. Cette
histoire, c'est mon problème, pas le sien.

Debout sur les pavés brûlants de Paris, l'homme
lève les yeux et d'un mouvement d'épaule leur signale
qu'il ne chante que pour elles. Pantalon taille haute
et pli sur ses chaussures de cuir, marcel blanc qui
découvre des épaules massives. Sa voix grave porte
tout le malheur du monde, de la compassion aussi. Les
deux femmes partagent en secret leurs regards sur le

chanteur. Monique tombe instantanément amoureuse, sa mère se laisse aller quelques secondes à une rêverie interdite, puis elle retourne à la cuisine.

Le soleil s'estompe. Les bruits de la rue s'éloignent. La vie reprend son cours, le père rentre avec Jean et les petits. Monique chante, le piano-papier dort sous l'oreiller, vit sur sa poitrine, caché dans son soutien-gorge. Le soldat au couteau se cache derrière les rideaux.

Joue, piano, joue.

Une petite annonce au théâtre Mogador. CHERCHE CHANTEUSE. TRAVAIL RÉMUNÉRÉ.

À l'audition, on lui demande de montrer ses jambes et de chanter. Elle s'applique sur un air grandiloquent. On la coupe au bout de cinq secondes. Elle est embauchée ! Suivante !

Elle peut enfin quitter l'école, sans une once de regret. « Pour ce que tu y apprends… » dit sa mère.

Quatre soirs par semaine, pour quelques sous, elle se trémousse en costume à jupons relevés, chantonne avec les filles un air coquin, lève la jambe, agite les fesses. Les poulettes viennent de partout, surtout de la rue. « Bambi, ma belle, prête-moi ton rouge, j'ai oublié le mien », « Mais qu'est-ce que c'est que ces vieilles jupes, ma Bambi, quand on a des jambes comme les tiennes, on les montre ! ». Elle part au théâtre, joyeuse, se régale du parfum de vanille bon marché mêlé à celui de la sueur des dessous de bras. Elle assiste aux drames. La grossesse de Josette, les amours de Martine. Un soir, la pauvre Ginette arrive passablement éméchée, en retard, se précipite sur scène, s'y casse la figure devant une salle hilare et se fait virer illico par le patron de la tôle, qui, pas plus tard que la semaine d'avant, se vantait de partager son lit. Elle rentre tard dans la nuit, seule, des airs plein la tête, à la lumière des lampadaires. Pour s'endormir, une armée de filles en frou-frou la réchauffent et la protègent des menaces embusquées derrière le rideau. Ces nuits-là sentent les îles et la fumée de cigarettes.

D'autres nuits, son père ouvre la porte.

Un soir, sans un bruit, il entre. « Papa, laisse-moi, va-t'en, je t'en prie. » L'homme s'approche, s'allonge dans le lit, chuchote. « Je viens te dire bonsoir. Ne t'inquiète pas. » Il la blottit contre lui, comme avant. Respirer l'odeur, l'haleine sent l'alcool. Il peigne les longs cheveux noirs avec ses doigts. Il embrasse le haut du crâne. « Je t'aime comme personne ne t'aimera jamais. » Se demander quand il va attaquer. Haïr son amour. Des larmes engorgent les sinus. Se sentir prête à le voir changer du tout au tout, se transformer en bête rugissante, exhortant la soumission par la force. Mais, ce soir, on dirait qu'il pleure. Il quitte la pièce en traînant sur le sol ses grosses chaussures, ferme la porte derrière lui. Elle attend son retour, dans l'affolement. De toute la nuit, elle ne ferme pas l'œil.

Tante Jeanne nous rend visite. Elle m'emmène à L'ABC pour écouter Édith Piaf. C'est la plus belle chose qui me soit jamais arrivée. Cette femme pénètre son public. Ses chansons, des merveilles. *L'Hymne à l'amour*, comment décrire à quel point cela me remue ? C'est impossible. Je suis comme amoureuse. Je vis dans un monde gris et triste qui s'éclaire et se colore lorsque Piaf chante. Sa voix, cette émotion, ce corps minuscule qui raconte mon histoire me donnent de l'espoir, l'impression d'une communion, le sentiment d'appartenir à la vie. Je voudrais la prendre dans mes bras, la remercier. Je suis follement émue, c'est inouï. Moi aussi je veux chanter, moi aussi. Je veux prendre les gens dans mes bras, avec ma voix.

Un pied devant l'autre, sur le trottoir du retour, à humer l'air du mois de mars, son soleil froid. Arrachés, les barreaux de la prison. Un vent de liberté, une issue, un espoir. Enfin. Chanteuse populaire. Ce sera ainsi. Elle suit l'intuition magique qui aligne l'univers lorsqu'on est sur le bon chemin.

Un chat traverse la rue.

Au retour, les parents se disputent, les voix claquent jusqu'ici. Jeanne s'étonne, interroge sa nièce.

— C'est comme ça tous les soirs.

Depuis des mois, l'air est irrespirable à la maison. Le père et la mère se livrent une guerre sans pitié. Les enfants étouffent, chaque mouvement devient pénible. Le silence n'est dérangé que par des invectives, des méchancetés. La mère de Monique maigrit à vue d'œil, les larmes la défigurent, elle perd ses cheveux. Elle évite de la croiser, s'enferme dans la chambre, une boule épaisse et molle au sternum. La mélancolie colle à la peau.

Je ne sais pas pourquoi ils se déchirent. J'entends parler de dettes, de travail. Maman est à bout de nerfs, agressive, elle ne le supporte plus. Papa s'absente de plus en plus souvent. Je me sens lourde.

Le pas traînant de la mère dans le couloir souffle aux oreilles. La femme transporte son fardeau jusqu'à la salle de bains. Elle ne bouge pas. Écoute. Elle retourne à sa chambre. Envie de lui parler. Elle frappe à la porte, entre. Découvre le même visage défiguré par le chagrin. Un vieux mouchoir dans la main, elle reprend son souffle entre deux sanglots, lève la tête, esquisse un sourire, essaie de parler, mais, dans un haussement d'épaules, signifie que les mots ne sortent plus de sa bouche. Envie de protéger.

— Laisse-moi.

Monique referme la porte. Dans sa chambre, elle ouvre grand la fenêtre pour trouver de l'oxygène. Le cri ne sort pas. La colère brûle la peau, la peine plante ses dents dans la chair. Elle lutte contre l'étouffement à grandes lampées d'air glacé.

Elle apprend des chansons. Dans la rue, on installe un poste à musique. Pour trois sous, on écoute un morceau. En deux ou trois écoutes, elle mémorise, retrouve les accords sur le piano. Pendant des jours entiers elle travaille Piaf, Bruant, Mireille, *Monsieur William* de Jean-Roger Caussimon, Fréhel. Elle perce le secret des textes, des mélodies, se glisse dans la peau des personnages qui prennent la parole.

À Mogador, après le spectacle, elle grimpe sur une chaise. Corset jaune, culotte, jarretelles, bas noirs. Un gros chignon se fait la malle vers son épaule gauche, le maquillage est fatigué. Monique entonne le morceau de Fréhel. *Comment pourrais-je vivre si tu n'étais pas là ?* Les filles reprennent en chœur : *Je ne connaîtrais pas ce bonheur qui m'enivre quand je suis dans tes bras*. Les danseuses se rhabillent, envoient valser les jupes à volants, les chapeaux à plumes. Jubilation, sourire aux lèvres. Au théâtre, rencontrer des filles perdues, touchantes. Des filles à histoires, à dormir debout, à coucher dehors.

Des filles comme moi.

Un soir, en retard, Monique se maquille à la hâte. Marinette repère tout de suite que quelque chose ne va pas.

— Oh toi, Bambi, ta nuit a été courte.

Sourire triste.

— Allez, dis-moi son nom, à l'heureux élu qui t'empêche de dormir et te rend toute romantique. Et surtout, ne me dis pas que c'est Gillou, une canaille, celui-là.

Monique hésite, c'est vrai qu'elle a une sale tête dans le miroir, même avec une tonne de maquillage. Elle hausse les épaules. Marinette hurle presque.

— C'est Gillou ?

Monique s'entend répondre :

— Non, c'est mon père.

L'amie reste muette, plante ses yeux dans le lac des pupilles noires. Elle pose sa main sur le bras de sa Bambi. Puis, en appuyant sur chaque syllabe, elle lui murmure à l'oreille :

— S'il vient te voir ce soir, ton père, tu lui dis que tu vas le dénoncer à la police. Ou tu trouves un couteau et tu le menaces. Ou tu hurles tellement fort que tout le quartier entendra. Ou tu le mords jusqu'au sang. Ou tu lui arraches les… Tu vois ce que je veux dire.

Un léger sourire naît sur le visage de Monique, puis, un moment de panique.

— Ne dis rien à personne, je t'en supplie.

Marinette marque une pause.

— Je ne dirai rien, Bambi, promis. Je suis désolée pour toi. Mais ça ne peut pas durer, tu le sais.

— Je sais.

Elle rentre ce soir-là, les pieds douloureux, serrés dans les chaussures à talons, étroites et pointues, un bas filé, les mots de Marinette qui tournoient dans la tête, en chœur avec la musique d'opérette, les sourires des filles, l'odeur des chignons et de la laque. Non, ça ne peut plus durer.

Une silhouette au loin. Un homme qui porte une valise, grand. Quelques fractions de seconde pour le reconnaître. Se cacher dans la ruelle, le cœur prêt à se rompre, le regarder s'éloigner. Mon père. Pressé et décidé. Il passe tout près, ne remarque rien. Je retiens mon souffle. *Ça ne peut plus durer.* Et s'il partait pour de bon ? *Ça ne peut plus durer.* Ne plus jamais le revoir. *Ça ne peut plus durer.* À cause de moi. *Ça ne peut plus durer.* Il s'évanouit dans la lumière blanche du réverbère. On entend encore le bruit des pas sur les pavés. Puis plus rien.

Monique pousse la porte de l'appartement avec précaution, sa mère pleure à la table de la cuisine, la tête dans les bras. La jeune fille hésite, un geste apaisant vers la nuque de sa mère s'achève au milieu de sa course. Sur la pointe des pieds, elle longe le couloir, un bruit sourd dans la tête. Chaque pas coûte l'éternité. Trop grande, trop grosse, le corridor la compresse, les yeux brûlent, le crâne implose.

Allongée sur son lit, elle déplie le piano-papier, le pose sur son torse, sa main chaude plaquée comme s'il allait s'envoler. Elle tombe. Dans sa tête résonne toujours la même valse, d'une tristesse infinie, quelques notes tournent autour d'un essieu grave et pesant.

Elle reste en suspens, fébrile.

Pendant des mois, il ne lui reste que l'attente et les larmes. Son être tendu vers le moindre son, le moindre signe de retour. Elle observe sa mère, ses frères et sa sœur qui reprennent leur vie sans jamais prononcer son nom, sans jamais l'évoquer. Elle renifle l'après-rasage, cache une vieille chemise dans sa chambre. Ces odeurs lui donnent la nausée. Injuste. Elle lui en veut. La colère ne s'estompe pas. « Je t'aime trop. » Il ne revient pas.

Il se passe des mois et personne n'attend plus. Parfois, le téléphone sonne, Monique décroche. Au bout du fil, pas un mot. Elle s'égosille. Allô ? Allô ? Puis elle raccroche.

Il prend de ses nouvelles.

La mère, seule, ne boucle pas les fins de mois. Les temps sont durs. Le père n'envoie pas d'argent. Il n'envoie que du vide.

Quatre gaillards sonnent à la porte. Ils viennent chercher le piano. Monique comprend, sa mère baisse les yeux.

Je vois rouge. Je prends feu. Pas le piano. Non. Il ne peut pas me prendre le piano.

Elle fourre quelques affaires dans le sac de toile kaki.

Hurlement dans le crâne. Sourd, strident, grave et aigu, deux aiguilles qui se frottent simultanément à du fer et de la porcelaine. Le son de la trahison et de l'injure. Il ne reviendra pas, ce père. Cela ne suffisait pas de fracasser, il fallait aussi qu'il laisse tout le monde sur le carreau, qu'il arrache le piano.

La colère va détruire mes veines et libérer le sang en jets éclatants qui repeindront le trottoir et les murs. Je sens qu'elle monte. Un son d'usine, dans ma tête. Seule obsession. Partir. Se tirer de là. Ne plus être le témoin impuissant du malheur de la famille. Puisque, en plus d'en être le témoin, je suis la coupable. Pas le choix. Subir ses assauts ou regarder la maisonnée dépérir. Se peut-il que ce soit ma faute ? Est-ce à cause de cette chair qui enrobe mes os ? Ces seins, ces fesses, ce ventre. Leur faute si ma mère se retrouve sur la paille ? Pouvais-je les empêcher d'apparaître, ces atours de femme ? Non, bien sûr que non ! Idiotie. C'est sa faute à lui. Ce lâche, ce traître. Tant d'amour, qu'il balance aux ordures sans ciller. Il vole le piano. Voleur. Sale voleur.

Des mots giclent dans sa bouche, ils ne sortent pas, ils donnent envie de vomir. Les yeux asséchés de rage. Partir.

La vendeuse de journaux en manteau rose la regarde passer, court à sa rencontre, lui attrape le bras, répète plusieurs fois Bambi ! Bambi ! Cherche son regard, y détecte une folie monstre, insiste.

— Où vas-tu Bambi ? Mais réponds-moi enfin !

Trouver les mots. Ils ont disparu. Reconnaître Ginette, la voix aigrelette, les mouvements vifs et gracieux. Sourire. Essayer. Balbutier.

— Je… je vais… en Belgique… je vais chanter.

— Avec ce petit sac ? Tu pars longtemps ?

— Oui… je ne sais pas… oui.

— Tu as de l'argent ?

— Non. Pas d'argent. Plus d'argent.

Même pas assez d'argent pour garder le piano, à peine de quoi manger. Ginette décèle une détresse sérieuse. On ne rigole pas avec les gens qui ont cette lumière dans les yeux. Elle disparaît derrière le kiosque à journaux.

— Je travaille ici, maintenant. J'adore, les gens sont gentils, et personne ne vient me dire ce que j'ai à faire.

Elle fouille sous un tas de papiers, récupère son sac à main, en retire une pochette de soie verte.

— Tiens, prends ça, Monique, je t'en prie. Cela t'aidera, pour tes projets de chanteuse.

Monique ne peut pas refuser l'argent. Elle n'a rien.

Dans un rire chaleureux :

— Chante une chanson pour moi, quand tu seras à l'Olympia.

Merci, merci, Ginette. La gentillesse de la jeune femme adoucit le trajet jusqu'à la gare. Elle pense à l'Olympia comme à une autre vie. Elle veut chanter, oui. Mais elle est seule, pauvre, abandonnée.

Un train pour Bruxelles, la tête contre la vitre, les yeux grands ouverts, la main sur le cœur, sur le piano-papier, la respiration est lente, douloureuse, il ne faut pas réveiller la bête.

Je ne sais pas où je vais. Le train avance, mais j'ai la sensation de patiner face à un mur. Cette colère me transforme en statue de pierre, me paralyse. Je ne suis que fureur. Aucun autre sentiment ne trouve sa place, à part l'envie de fuir. Je crois que je n'arrive plus à cligner les yeux.

À Bruxelles, il pleut. Les longs cheveux dégoulinent. Le froid pénètre vite la peau.

— Pardon madame, savez-vous où je pourrais trouver une auberge ou un hôtel pas trop cher ?

C'est loin. Elle marche sous la pluie. Devant chaque devanture, elle calcule combien de temps elle pourra se loger avec l'argent de Ginette. Pas longtemps, par ici. Un pas devant l'autre, quitter les beaux quartiers, traverser de drôles d'endroits où l'on construit des immeubles. Puis d'étroites rues pavées montent et descendent en labyrinthe, des cafés sombres et des épiciers, des caves annoncent des concerts, des pièces de théâtre. Si elle n'avait pas les sous de Ginette, elle devrait dormir sous ce porche. Des frissons cavalent sur sa colonne vertébrale, les hommes par ici ne l'auraient pas laissée tranquille longtemps. Le ventre se serre.

À cause de lui. Tout est sa faute. Chien.

Chambres au mois ou à la journée.

Devanture décatie, un bleu-gris arraché par le temps. La femme à l'accueil est énorme, sa chair pâle déborde de sa robe de dentelle. Dans un murmure : la chambre la moins chère s'il vous plaît, pour un mois. La grosse dame ne lève pas les yeux, tend la clé de la 14. Dernier étage. Les toilettes sur le palier, salle d'eau commune, au 3e. Pas d'invités, pas de bruit.

L'escalier de bois grince. Tirer fort sur la poignée pour actionner la serrure. Un cagibi, la chambre. Le lit en fer forgé accueille un matelas de laine, les draps sont passés. Une seule couverture, douteuse.

Je m'assois sur le lit, mes pieds, mes jambes n'en peuvent plus d'avoir tant marché. Une seule couleur dans la tête, rouge foncé. Je pense à ma mère. S'est-elle seulement aperçue de mon absence ? Elle, la grande aveugle, n'entend plus, ne voit plus, absorbée, dévorée par la trouille et l'abandon. Pire encore depuis le départ de papa. Avant, elle se battait. Maintenant, il ne lui reste que le silence et le chagrin. Je ne veux pas te peiner, maman, seulement, je ne peux plus supporter cet appartement, ses souvenirs, ses fantômes. Et je ne pourrai jamais vous pardonner. À tous. Pas sans mon piano.

Je peux utiliser le téléphone ? Jean décroche.

Dis à maman que je suis à Bruxelles pour quelque temps.

Remonter l'escalier infini.

Sait-elle que papa me rendait visite le soir ? Est-ce pour cela qu'elle l'a laissé partir ? Attend-elle que je lui parle ? Peut-on devenir chanteuse lorsqu'on est condamnée au silence ?

La nuit est agitée. Il faut s'habituer aux nouveaux bruits, aux rires de la chambre d'à côté, un couple bruyant. Toutes les heures, elle vérifie que le piano-papier est bien sous l'oreiller, son seul repère, son seul ami. Dehors, des éclats de voix. Un homme soûl insulte une femme. Les filles, entre deux clients, parlent fort, pour se donner du cœur à l'ouvrage. Elles tapinent tout le long de la rue, s'abritent sous le porche du trottoir d'en face. En poussant le rideau, on peut observer leur va-et-vient. Elles sont plus ou moins jeunes, toutes en tenues voyantes, du fuchsia, du rouge, du noir, du jaune d'or. Beaucoup de maquillage, une nouvelle couche après chaque homme.

Dans un mois, si ça se trouve, je me vendrai pour payer la chambre. Alors je les regarde. Celle-ci, grande, longs cheveux bruns, grands yeux charbon. J'aime comme elle fume, avec élégance, le port de tête d'une princesse. Pourquoi est-elle ici ? Qui l'a abandonnée ? À quoi a-t-elle renoncé ? Un homme lui parle. Dans son attitude, un détachement glaçant. Elle me ressemble.

C'est bien joli de débarquer à Bruxelles, la tête remplie de rêves de concerts et de public enthousiaste. Les rêves, ça ne donne pas de travail.

Les portes des cabarets sont restées closes, parce qu'elle n'a pas cherché à les ouvrir. Un pianiste improvisait du jazz dans un restaurant bondé, elle n'est pas entrée. Quelque chose de flou l'en empêche. Cela ressemble à de la trouille ou aux effets d'une drogue. Elle nage à côté de la rivière, dans une autre dimension. Dès le premier jour, un liquide épais a pénétré son crâne. L'énergie était feinte, artificielle. La colère était trop forte pour pouvoir retrouver le calme et l'envie. Place à l'obscurité. Chanter, chanter, chanter, ce n'était plus qu'une idée, la musique s'était tue. Évaporée.

Le sol se dérobe sous mes pieds. Je n'ai plus de voix. Ma volonté a disparu. Je ne peux rien décider. Les mouvements sont entravés, les mots sont prisonniers, je n'existe plus. Pourtant, ce corps réclame de la nourriture. Il veut pisser, se réveiller, manger. Il veut. Moi, je ne veux plus rien.

Très vite, elle organise le temps pour qu'il ne se fasse pas trop sentir, se lève tard, se lave au troisième étage. Dans le miroir, les hanches épaisses, seins lourds, cuisses massives, le ventre qui se replie en bourrelets. La cicatrice de la brûlure barre sa poitrine. Peau mâchée. Elle empoigne toute cette chair, des morceaux d'elle-même. Du gras. Il ne lui plaît pas, ce corps, repoussant, difforme. C'est à cause de cette laideur qu'elle ne trouve pas d'endroit où chanter. Pincer fort. La douleur pointe à peine, ridicule comparée au châtiment qu'elle croit mériter.

Ensuite, elle erre dans le quartier. Une angoisse sourde l'accompagne, collée au sternum, une vraie sangsue. Pendant le parcours, toujours le même, restreint par peur de s'aventurer plus loin, la marche est lente. Comme prétexte l'achat d'un savon, d'un paquet de cigarettes, d'une boîte de Zan, peu importe, pourvu qu'elle sorte de l'hôtel quelques heures. Elle ne mange que des frites. D'énormes quantités de frites qu'elle remonte dans sa chambre. La nourriture la moins chère, la plus grasse, la plus rassurante.

Dans une brocante, j'ai acheté deux robes. La première, noire, avait un col en dentelle, je l'ai enlevé. L'autre, noire aussi, légèrement ajustée au torse, s'évase sur les hanches en immense jupon très long. La vendeuse ne m'a pas adressé la parole. J'ai acheté les robes et je suis partie. Ce sont des robes magiques. Dedans je suis cachée, protégée. Je suis invisible.

Personne ne s'habille de cette façon. Souvent, on se retourne sur cette grande silhouette étrange, tout en rondeur, en superposition de velours, soie, dentelles sombres. Dans une poubelle, elle a récupéré un châle en tricot de laine noir. Après l'avoir soigneusement lavé et rapiécé, il ne quitte pas ses épaules. Personne à qui parler, elle est seule à longueur de journée. Le temps passe, elle espère un événement, qui n'arrive pas. Le corps barricadé sous les robes, c'est la haine qui dévore. Dans sa chambre, elle frissonne. Parfois, l'angoisse est si aiguë qu'elle marche dans les six mètres carrés de sa prison. Deux pas, elle se retourne. Deux autres pas. Certaines minutes sont longues comme des années. Allongée sur son lit, à fixer l'applique en verre des nuits entières, elle perd la notion du jour et de la nuit, dort n'importe quand. Pas d'un sommeil heureux et réparateur, mais un état fou, entre l'hypnose et l'abandon. Un sommeil de prisonnier, une anesthésie.

Le soldat s'est installé dans la chambre. Il ne s'en va plus. Il regarde en souriant, provocant, dégueulasse. Il découpe la peau, découpe et découpe encore. Le corps de Monique, à vif, perpétuellement offert au regard de l'homme, qui prend toute la place. Perdue la notion d'espoir, oubliée l'envie d'apprendre une chanson. Même le piano-papier s'est tu. Plus une note.

Je crois que j'ai disparu. J'ai réussi. Je flotte au-dessus du monde, dans des robes noires. Je suis un astre de plus. Accrochée. Je ne ressens plus rien. Je ne suis pas sûre d'avoir envie de continuer ce chemin. Laissez-moi. Je mange mes frites.

Un jour, comme cela devait arriver, le porte-monnaie est vide. Plus rien. Pas un sou. On tambourine à la porte. La méchante dame de l'hôtel, accompagnée d'un petit mec sec et nerveux, lui demande de dégager. Maintenant. Déjà quinze jours de retard. On l'avait prévenue. Elle prend son barda et on ne veut plus la voir. Les intrus restent à la regarder fourrer ses affaires dans son sac. Elle glisse le piano-papier dans son soutien-gorge. Sa peau est froide. Elle baisse les yeux en passant entre les tenanciers, qui la méprisent sans retenue. Pauvre fille.

La rue. La voilà, la fameuse rue, celle vers laquelle Monique se précipite depuis qu'elle est arrivée à Bruxelles. Comme si le trottoir allait lui offrir enfin ce qu'elle mérite. L'humiliation, la pauvreté, l'échec. Des semaines qu'elle travaille à sa descente aux enfers. Est-ce possible, une chanteuse qui ne chante pas ? Une chanteuse qui connaît si peu de chansons qu'elle ne pourrait pas tenir plus de vingt-cinq minutes devant un public ? Une chanteuse qui n'a même pas essayé d'entrer dans un cabaret ou un restaurant pour demander à jouer ? Une chanteuse qui erre, perdue, l'esprit si sombre qu'on n'y trouve plus la moindre note ?

C'est le tapin qu'elle a cherché. C'est aujourd'hui qu'elle le rencontre.

Je m'en fiche. Peu m'importe. Je les trouve belles, les filles. C'est mon chemin, voilà tout. Et puis, ma robe me protège. Pour une fois qu'on me protège. Parce que la guerre, je connais, on m'y a envoyée toute petite. Balancée sur tous les fronts. Alors, le trottoir… Ici, on me verra comme je suis. Une moins que rien, une traînée. Allez les gars ! La porte est ouverte ! Profitez ! Vous ne serez pas les premiers !

D'abord, elle a attendu, assise sous un porche. La tête contre le chambranle d'une porte en bois. Elle n'a pas bougé. Elle ne ressentait rien. Une écorce vide. Même l'angoisse sourde l'avait désertée. Un monsieur a brusquement ouvert la porte, l'a surprise, elle s'est relevée à la hâte, ses lunettes sont tombées au sol, l'homme a marché dessus, brisant le verre droit. À peine une ébauche d'excuse et il a disparu. Elle a reposé sur son nez ses lunettes cassées.

À la tombée de la nuit, elle se dirige vers la rue des putes. Pas celle juste en bas de l'hôtel, une autre, derrière, une rue piétonne, repérée lors d'une de ses promenades.

Ma tête est vide. Je n'ai plus rien. Je ne suis plus rien. Mes bras, mes jambes se détachent, je suis immense. Je voudrais qu'on m'anéantisse.

La moindre des choses, si on veut monter, serait d'être un poil aguichante, comme les autres. Décolletés surréalistes, jambes nues ou bas résille, rouge à lèvres, sourire. Monique tente le trottoir en longue robe noire, châle de laine, talons plats, lunettes cassées, traits terrifiés, le vieux sac en toile kaki sur le dos. Les filles la regardent, éberluées. C'est qui la nouvelle ? Qui l'a mise là ? Tu l'as déjà vue ? Encore une cintrée ! Elle passe devant la jeune femme brune qui fumait comme une princesse l'autre soir. Ses yeux sont morts. Haut-le-cœur.

Au coin de la rue, droite comme un i, Monique s'apprête au sacrifice. Elle n'entend pas son piano-papier qui murmure un ternaire lent et mineur dans ses sons les plus graves.

J'attends. Je n'ai plus peur. Tirez, je garderai les yeux ouverts.

Un homme massif, costume trois pièces, s'adresse aux filles, en passant. Toutes semblent bien le connaître. À grands pas, il s'approche. Monique regarde droit devant elle, ne le voit pas venir. Il dévisage la nouvelle, un sourire au coin des lèvres.

— Je vous invite à boire une bière ? Vous avez un peu de temps ?

Haussement d'épaules, silence.

— D'accord.

Dans un café, au chaud, ils boivent.

Monique ne sourit pas, ne le regarde pas. Lui, ça l'intrigue. Il pose des questions, il s'intéresse. Chanteuse ? Elle veut être chanteuse ? Et pourquoi est-elle ici alors ? Et ses lunettes ? Elle ne peut pas s'en acheter une autre paire ? Elle a vu sa tête ? Il lui arrache un petit rire, éclair de vie. C'est la première fois qu'elle tapine ? Oui. Charles Aldoubaram, c'est son nom, demande si elle a faim. Commande ce que tu veux. Il la regarde manger. Dévorer plutôt. L'homme connaît Paris, ils évoquent leurs souvenirs. Monique lui raconte les rues, les lampadaires, les cafés. Elle raconte bien. Elle a enlevé ses lunettes, ses cheveux ont séché, elle a mangé et bu, se détend. Si longtemps qu'elle n'a pas parlé avec quelqu'un, elle se délecte de tous ces mots. Aldoubaram est un homme perspicace, il détecte la jeunesse, la sensibilité, les failles. Il regarde Monique dans les yeux, ne quitte pas son regard. Il sait qu'elle ne tiendra pas deux jours sur le trottoir et il ne veut pas d'ennuis. Il jouait de la trompette, il y a très longtemps, puis, les choses ont mal tourné, la vie, quoi. Son grand regret.

La soirée défile, à discuter, ils enchaînent les bières, les éclats de rire. Il est temps d'en venir aux choses sérieuses. Monique avait oublié. Elle baisse les yeux. Aldoubaram sort son portefeuille.

— Écoute, ma belle. Tu vas à l'accueil et tu demandes une chambre, de la part d'Aldou. Ils ne te réclameront rien. Cette nuit, une jeune fille qui s'appelle Peggy, tu verras, elle est enceinte jusqu'au cou, passera te chercher. Elle connaît des étudiants, des artistes. Elle t'emmènera. Voilà de l'argent pour te racheter des lunettes et manger. S'il te prend de revenir dans cette rue, ne t'aventure pas toute seule. Je suis là pour protéger les filles. Tu me demandes, n'importe où, on me trouvera. Je m'occuperai de toi, mais essaie de chanter, tu éviteras les regrets.

L'homme quitte la table, un geste de la main au patron.

Monique le regarde partir. Elle commande une dernière bière, bien qu'elle soit déjà fin soûle.

Elle pose la main sur son sein. Le piano-papier joue les basses d'abord, puis une mélodie simple, trois notes à peine. La musique résonne dans sa tête pour la première fois depuis Paris. Est-ce l'alcool ? Est-ce la chaleur de la voix d'Aldoubaram ? Un sourire, le premier à Bruxelles, point sur son visage. Il est discret, ébauché, mais il change la face du monde.

— C'est toi Monique ? De la part d'Aldou ? Salut, je t'emmène à La Mansarde. Ils sont d'accord pour t'héberger. On y va, la camionnette est là.

Peggy a les cheveux courts, blond roux. Il manque une dent à son sourire, de grands cernes coupent son visage. Son ventre pointe sous son manteau trop petit. Ses gestes sont rapides, elle se déplace comme une souris, menue, légère malgré sa grossesse avancée. D'abord, ses yeux se refusent à croiser le regard, puis, dans un éclat bleu, ils plongent dans l'iris noir de Monique, immédiatement remuée par ce qu'ils racontent. Le conducteur, Gitane au bec, contourne son engin, ouvre la porte battante à l'arrière. Pas de sièges, pas de fenêtres. Une bétaillère. Le moteur gronde. Peggy, les mains sur son gros ventre, grimace. Assise par terre, elle se cale contre le renfoncement qui protège la roue, trouve un endroit où se poser tout en s'agrippant au rebord. Ça secoue et ça pue.

— Tu es chanteuse, il paraît ?
— Il paraît, oui.
— Tu chantes quoi ?
— Des chansons.

— Qu'est-ce que tu fichais sur le trottoir ? Tu gagnes pas d'argent avec tes chansons ?

— Tout est devenu sombre. Je n'arrivais plus à penser.

— Je vois. Moi, l'obscurité m'est tombée dessus à quinze ans. C'était ça ou les torgnoles de mon père. Et le reste. Maintenant, voilà. Je suis grosse. Toi, c'était qui ton problème ?

— Personne.

— Tu sais quoi, Monique, avec ta drôle de tête et ta robe bizarre, et tes lunettes cassées, tu feras croire à personne qu'Aldou n'a pas voulu de toi juste parce que t'étais trop jolie. S'il a pas voulu de toi, c'est que t'avais un sérieux problème. Et ces problèmes-là, ils ont toujours un petit nom.

— Il a pas voulu de moi ?

— T'es où là ?

— Dans une bétaillère.

— Tu vas à La Mansarde chez mon pote Jeff, qui connaît des artistes, parce que t'as dit que t'étais chanteuse. Aldou, s'il a pas voulu de toi sur le trottoir, c'est parce qu'il a pensé qu'il gagnerait pas d'oseille avec tes fesses. Qu'est-ce que tu crois ?

— Rien, je ne crois rien.

— Il voulait être artiste, Aldou, puis il a fini maquereau. Quand on y pense, ç'a un côté triste aussi. Enfin, si on arrive à oublier comment il peut dérouiller une fille. T'as dû tomber sur un de ses bons jours. T'as de la chance, Monique. Moi, j'ai jamais eu de chance. Jamais. Toi, je peux te dire que t'en as une, là, maintenant. Ne la gâche pas. T'en as sûrement pas eu tout le temps, vu ta tête, mais là, ma fille, va falloir ouvrir les yeux.

— Il y a un piano à La Mansarde ?

— Oui.

— Mon père, aussi.

— Quoi ?

— Je suis ici à cause de mon père.

— C'est les pires, ceux-là.

— Les pires, oui.

La voix de Monique se brise. Elle fond en sanglots. Peggy ouvre ses bras.

— Viens.

Elle se blottit contre le sein de l'enfant enceinte. Et pleure enfin, bringuebalée dans le coffre de la bagnole.

— Pleure pas trop, Monique, je vais avoir du mal à retenir mes larmes.

En rire dans les pleurs. Et trouver qu'on peut essayer de survivre, finalement. Ils sont chauds, les bras de Peggy, on y est bien.

C'est la première fois qu'on ne me laisse pas seule avec mon secret. La première fois qu'on me dit que j'ai de la chance et que c'est vrai. Peggy vibre. Son bébé bouge, je sens un pied qui passe.

— Regarde ! Même lui, il veut rigoler avec nous.

Et nous de pleurer-rire de plus belle.

Éclairé par un réverbère, un très grand type attend devant une bâtisse sans âge. Il s'abrite sous un journal, grimace. Il est immense, très maigre, les joues creuses, le menton pointu. Des boucles de cheveux bruns tombent sur son front. Impossible de distinguer ses yeux, tant les paupières sont plissées. C'est un jeune homme, pas plus de vingt-cinq ans. Peggy doit rentrer chez elle. Les filles s'enlacent. Une amitié fulgurante. Jeff baisse les yeux, balance sa clope.

Dans la maison, j'attrape les senteurs, elles sont revenues. J'ai de la chance. Ne jamais l'oublier. Ne rien louper. Écouter, toucher.

En bas, un salon et un piano. Un point d'eau à la cuisine. En haut, un foutoir innommable et quelques lits. La chambre : une pièce minuscule, sous les combles, un matelas par terre, une table, une fenêtre qui laisse entrer la nuit. Un étage au-dessous, l'atelier de Jeff.

Une odeur de cire, d'alcool, de tabac froid. J'inspire.

Des traces de pas sur le parquet, des étagères remplies de sculptures, dessins, pots divers, pinceaux. Un établi, massive pièce de bois devant une grande fenêtre. Vue dans les feuilles des arbres. Jeff gratte une allumette, allume une bougie. Apparaissent, de toutes les tailles, dans toutes les positions, une série de sculptures qui représentent des animaux.

Je m'approche pour les toucher, caresser leurs contours. Je redécouvre les sensations, qui étaient restées bloquées dans la chambre d'hôtel. Ma peau est hypersensible, comme si c'était la première fois. Toucher les sculptures envoie des frissons jusque dans ma nuque. Ce sont des louves. Allongées, debout, les mamelles énormes, sur le flanc, offertes, les bêtes sont douces, rugueuses par endroits. On croirait qu'elles attendent. Toutes ont cette façon d'arrêter le temps, figées et vivantes. Certaines ferment les yeux, d'autres n'en ont pas. Combien y en a-t-il ? Des centaines. Une louve de un mètre, en bois, sert de pied à l'établi. Chacune procure une chaleur différente, je sens presque leurs cœurs qui battent chacun à son rythme. Si je tends l'oreille, j'entends les louves murmurer. Un concert de chuchotements.

— Tu trouveras une couverture dans le placard du couloir, juste avant ta chambre, là-haut. Le soir, ici, il y a toujours du monde. Tu pourras chanter.

Oui. Bien sûr. Chanter. C'est vrai. Que s'imagine-t-il, Jeff ? Une grande chanteuse qui vient de Paris. Chanter.

— Tu ne dors pas ici ?

— Non, je rentre chez mes parents. Je te laisse, bonne nuit.

Il est six heures du matin. Un souffle froid sur la nuque, un rai de lumière traverse la maison. Il visite les lieux, respire les chambres. Des cendriers pleins, des canettes de bière et des bouteilles de vin vides, un drap pendu devant une chambre, en guise de porte. Les murs sont peints de slogans, dessins obscènes. Dans le salon, une multitude de chaises, de fauteuils dépareillés sont tournés vers le piano. Une salle de concert qui donne l'impression de n'avoir jamais été nettoyée, laissée telle quelle soir après soir. Monique tapote nerveusement le piano-papier. De quelques notes, il la rassure.

Un quart de queue orné de candélabres. Le flanc en bois noir de la bête dégage de la chaleur, le couvercle s'ouvre, les mains cherchent la sonorité en quelques arpèges. Une lumière rouge irradie. Les premiers accords résonnent dans toute la structure de la maison. Un bain chaud de musique. Retrouver la vibration dans le creux du ventre. Assise sur le tabouret, le haut de son corps balancé dans un mouvement circulaire répétitif, autistique. Un rythme ternaire et des basses profondes agissent comme un mantra. Plus aucun repère.

Les yeux fermés, je goûte le son. Transportée, oublier le passé, rester présente, ici, dans les entrailles de l'instrument. Imaginer à nouveau.

Nue, la jeune prostituée brune s'assoit sur le piano, les jambes en tailleur, le dos courbé, elle se tient immobile, le regard fixe. Sa peau est marbrée, des rougeurs sur ses cuisses évoquent des coups. Ses cheveux sont emmêlés. Un homme très grand, qui porte une valise, s'assoit dans le fauteuil aux fleurs fanées, devant une table sur laquelle est posé un fragile service à thé. Il soulève délicatement une tasse, pour la porter à sa bouche. Il ne quitte pas du regard la jeune femme nue sur le piano. Les yeux fermés maintenant, la danse circulaire de Monique devient sauvage, possédée. Un lourd cendrier de verre traverse la pièce, un missile qui vient exploser la vitre dans un fracas de verre brisé. La prostituée disparaît, le grand homme à la valise aussi. Au milieu du salon, des frissons. Du verre brisé jonche le sol. La fenêtre est borgne. Une bonne femme passe dans la rue et crie au hasard « Non mais ça va pas la tête ? ».

Dans un vertige, retour à la chambre. Sommeil hanté. Le piano-papier au creux de sa main, serré fort.

Je suis réveillée par un brouhaha qui vient d'en bas. Des voix fortes, des rires, les bruits d'une fête. On scande : « La chanteuse de Paris ! La chanteuse de Paris ! » Une agitation incroyable me prend. On m'attend. Je vais chanter.

Beaucoup de noir sur les yeux, beaucoup de rouge sur sa peau blanche, la robe en coton noir de Bruxelles. Jeff présente les habitués de La Mansarde à Monique, qui embrasse, serre des mains. Oui, oui, Paris. Chanteuse, oui. Cabaret. Chacun apporte une ou plusieurs bouteilles « pour le bar », tous fument. Bientôt le salon est dans le brouillard. Des discussions s'animent dans plusieurs coins de la pièce.

Un tourne-disque diffuse *Minor Swing*, de Django Reinhardt. Quelques jeunes filles dansent, l'air sérieux. Jeff annonce la chanteuse parisienne. On se croirait au cirque.

Assise au piano, un frisson chaud carmin sillonne la peau. Une bouffée de bonheur. Les doigts dévalent les touches d'ivoire, le cœur bat la chamade, de la sueur dégouline le long du dos, un courant électrique choque la nuque, le ventre brûle. Elle commence avec *Si tu n'étais pas là* de Fréhel. Puis Mireille. La voix résonne, le corps bouge, le visage mime chaque émotion. Les chansons reviennent, elles coulent, impossibles à oublier.

Après un applaudissement timide de la salle, un brouhaha monte, en fond sonore. On n'écoute plus. Les jeunes gens se détournent, reprennent leurs discussions. Cela n'a aucune importance, elle va finir le concert comme prévu. Vingt minutes de chanson. Elle se régale de chanter pour d'autres ce qu'elle a tant répété toute seule. C'est la première fois. Personne ne lui prête attention, le tour de chant se termine dans l'indifférence et le bruit. S'ensuit une euphorie unique, envie de parler à chacun, chacune. Des sourires, des bouts de phrases noyées dans le free jazz, de groupe en groupe, ils sont tous beaux. Elle n'arrête pas de jacasser, de minauder, se sent irrésistible. Trop. Un manège qui s'emballe après des mois de rouille. Une folie. Une exaltation suspecte, terrifiante.

De l'alcool circule, beaucoup. La musique hurle dans le tourne-disque. Il ne reste plus grand monde. Jeff est parti. Un garçon discourt sur le général de Gaulle, trapu, des chicots à la place des dents.

Il finit dans la chambre du haut, nu, à malaxer les seins, à tripoter les fesses. À pénétrer.

Pourquoi ? C'est à n'y rien comprendre. Elle vient d'arriver, elle a échappé aux passes des trottoirs de Bruxelles et, pourtant, elle s'absente de son corps, regarde le garçon s'affairer. Une haine inouïe la submerge. Difficile de dire si le sentiment est tourné vers le garçon ou vers elle-même. Pas le moindre désir, pas l'ombre d'un plaisir. Elle se tait. Supporte en elle le sexe étranger en pleurant de toute son âme. Elle a remplacé l'amour par la haine et la tristesse. Ça ne tourne pas rond. La punition est ignoble. Se punit-elle d'avoir eu de la chance ?

— Youhou ? Y a quelqu'un ?

Jeff apporte le petit déjeuner. Lance un café qui sent bon.

Un léger dégoût dans ses yeux. Oui, il faudrait se laver, changer de robe, arranger le noir sur les yeux, qui dégouline. Dans la cuisine, un soleil délicieux.

— Du pain frais, du beurre, de la confiture confectionnée par ma mère.

Merveille.

Après trois tasses de café, à la fenêtre ouverte, offrir son visage au jour.

— Peggy a accouché cette nuit, elle dit que tu peux venir la voir.

Ça crache, ça tousse dans la salle commune. Des femmes en tenue blanche et cornette s'empressent, petits pas rapides sur leurs talons. Elles portent des linges, des plateaux de fer. Troisième lit à droite. Derrière le drap. Ils ont caché Peggy. Non, ils ont caché le monde à Peggy. Qui sait ce qu'ils avaient en tête. Pousser la porte de fortune. Peggy, en chien de fusil, fixe le sol, ne lève pas la tête. Pas de berceau dans l'alcôve, pas de bébé dans les bras. Il est avec les infirmières ? C'est un garçon ou une fille ?

— Je l'ai donné. Un garçon.

Peggy plante ses yeux bleus dans ceux de son amie. Ils n'ont plus de larmes.

— Mes seins vont exploser. J'ai du lait pour nourrir tout le pays. Ça fait un mal de chien. Elles m'ont bandé les nichons comme si ça allait m'empêcher d'être mère. Mais le lait coule quand même. Regarde.

Elle ouvre le drap. Le lit est trempé.

— Ne me juge pas. Que voulais-tu que j'en fasse ? Un petit fils de pute. Elles vont s'en occuper, lui trouver une famille. Une maman qu'a pas couché avec cent gus avant le mariage. J'en voulais pas. J'aime

80

trop mon métier. Je pouvais pas quitter la prostitution, tu comprends, une carrière pareille.

Peggy a l'œil méchant, serre les dents.

— T'as signé les papiers ?

— Pas encore.

— Tu veux le récupérer ?

— J'ai essayé, ce matin. Elles m'ont dit qu'il était parti dans une famille. Que c'était mieux pour lui.

D'une voix qui a perdu son timbre :

— Je l'ai à peine vu.

Le chagrin de Peggy m'électrise. Tout ce lait versé, de l'amour saccagé. Je m'allonge à ses côtés, dans le lit trempé. J'essaie d'être forte, pour elle, pour qu'elle s'agrippe à mes cheveux et ne se noie pas. Pour l'aider. Joue, piano, joue pour Peggy.

Un ternaire très lent, qui oscille du mineur au majeur, brusquement, pour apporter un peu de lumière. Il y a tellement de peine sur ce radeau.

Pendant un mois ou deux, la vie au rythme de La Mansarde, danser et boire la nuit, rêver la journée. Monique reste des heures dans l'atelier de Jeff, à le regarder façonner, tordue-affalée dans le vieux fauteuil en cuir rouge. Elle attend le soir et le débarquement de la joyeuse troupe. Jazz, fumée, Suze et whisky. Parfois, elle chante. Ils disent que ses chansons sont vieillottes, dépassées. Elle s'en fiche, vit nu-pieds, les cheveux lâchés, au gré du moment.

Le printemps s'installe et colore La Mansarde de ses chants d'oiseaux, lumière dorée. Monique démarche alentour quelques restaurants dans lesquels un piano dort, mais elle n'intéresse aucun patron. Finalement, elle décroche un boulot de plongeuse dans un hôtel, pour trois sous. Elle nettoie la vaisselle sale, enfermée dans la petite cuisine. C'est un début. Il y a un début à tout. Elle n'a que vingt-deux ans, la vie devant elle.

Le soir, des comédiens viennent présenter des monologues. Un magicien, Claude, rapplique de plus en plus souvent. Il écoute Monique, attentif, en fumant la pipe. Il choisit ses mots et sourit quand il parle. Il dit qu'il adore sa voix, qu'il est bouleversé chaque fois qu'il l'entend. Quand elle le regarde dans les yeux, il rougit.

Peggy est retournée à Bruxelles, elle envoie parfois des lettres dans lesquelles elle oublie de parler de son quotidien. Elle a perdu une autre dent.

Pour l'anniversaire de Jeff, Monique organise une grande fête. Dans la cave, elle a découvert des trésors, des malles remplies de tissus, vêtements, chapeaux, en très mauvais état. Elle s'offre un nécessaire à couture, taille, reprise. Pendant des semaines, les amis de Jeff défilent à la cave pour les essayages. Il faut se cacher, murmurer, réprimer les fous rires.

Un soir, alors que Jeff descend de son atelier comme d'habitude, ils sont une vingtaine dans le salon, silencieux, déguisés en loups et en louves. Les costumes sont noirs, gris, ou dans les tons bruns, tous ont dessiné un museau poilu sur leurs visages, des tissus noirs servent de fourrure. Le cœur de Monique bat à tout rompre. Un, deux, trois, ils chantent en chœur *L'Hymne à l'amour* de Piaf, Monique en cheffe d'orchestre, au piano. Le garçon reste muet d'émotion. *Peu m'importe, si tu m'aimes, je me fous du monde entier*. Le chœur résonne dans la cathédrale païenne de La Mansarde. *L'Hymne à l'amour* porte si bien son nom. S'approcher de Jeff, visage tordu d'émotion, dessiner sur sa peau la fourrure du loup, l'envelopper dans une cape de toile noire, poser sur sa tête un chapeau rapiécé. Approcher les lèvres de sa bouche pour le remercier, tenir dans les mains ses joues de garçon, l'embrasser encore. Applaudissements. La fête peut commencer.

Nous avons bu, parlé, dansé et chanté jusqu'au surlendemain. Certains ont dormi à même le sol, d'autres se sont coincés dans les fauteuils. Une équipe est retournée acheter de l'alcool, le tourne-disque n'a pas cessé de jouer. Nous avons vu le soleil se lever, assis dans l'herbe, blottis les uns contre les autres, puis nous l'avons regardé s'effacer, nous avions chacun dans la tête une prière, un vœu à exaucer. Jeff tenait ma main, sa prière était pour moi, je priais pour lui. Les maquillages ne ressemblaient plus à rien, nous étions tous barbouillés de khôl, plus proche de ramoneurs de cheminées que de louves. Au petit matin du troisième jour, chacun est retourné chez soi, les yeux embués, la tête brumeuse, la démarche de travers, le cœur rempli de vapeurs d'alcool et d'amour. Jeff dormait déjà par terre, dans son atelier. J'ai monté un étage pour m'écrouler dans mon lit.

— Monique, que se passe-t-il ?

Jeff est hirsute, une couverture sur le dos, essoufflé.

— Tu hurlais. J'ai cru qu'il t'arrivait quelque chose.

Un accordéon qui grinçait, mourant sur le trottoir, d'horribles dissonances, puis les passants qui mettaient leurs pièces dans mon soutien-gorge, si lourd que je ne tenais plus debout. Mon père venait me chercher, il me portait jusqu'à la mer et me jetait dedans. Et je criais que je ne sais pas nager. L'accordéon qui grinçait m'arrachait les tympans.

Reprendre ses esprits.

— Pardon Jeff, juste un mauvais rêve.

— Tu veux que je reste avec toi ?

— Oui, je veux bien.

Elle se déplace sur le côté pour laisser une place à Jeff, qui s'emmitoufle dans sa couverture et s'allonge près d'elle.

Ils dorment ainsi, l'un à côté de l'autre, pendant douze heures.

L'été s'installe et ralentit La Mansarde. Monique et Jeff se retrouvent seuls. Les autres reviendront en septembre. Jeff a refusé les vacances au bord de la mer avec ses parents pour rester avec Monique. Il trouvait mille excuses pour rester avec ses louves. Il ne veut pas laisser sa chanteuse, prépare les repas, range le salon. Lui demande dix fois par jour si elle est heureuse. Parfois, il va la chercher en voiture au travail. Il ouvre la portière de son vieux tacot, comme un chauffeur qui accueille une reine.

Elle demande :

— Tu crois que j'y arriverai ?

— À quoi, Monique ?

— À devenir chanteuse.

— Tu es déjà chanteuse.

— Non, Jeff, je veux dire, ne plus aller faire la plonge au restau. Jouer dans des théâtres, enregistrer des disques.

— Tu y arriveras, Monique, j'en suis sûr.

— Tu veux m'écouter ?

— Avec plaisir.

Elle s'installe au piano et lui chante une chanson qu'elle travaille. *Ils broyaient du noir*, de Léo Ferré. Jeff écoute, les yeux fermés, puis applaudit.

Les semaines passent, heureuses et rassurantes. Monique et Jeff sont liés, indissociables amis.

Puis, tout bascule.

Dix-sept jours de retard. Le cœur s'affole quand l'estomac se retourne. Le sang ne vient pas. Les seins sont douloureux et tendus. Aucun doute.

Ainsi, tu m'as choisie, moi ? Tu dois être un bien drôle d'enfant. Tu as vu ce que je lui assène, à ce ventre, tu as vu ? Je ne saurai même pas qui est ton père, je n'ai pas de maison, pas de travail, pourtant, tu viens habiter là. Où es-tu ? Dans mes entrailles, je ne sens rien, tu dois être si petit. Si petit qu'il serait facile de te faire passer. Je n'ai pas encore pris ma décision, tu sais. Je ne pourrai pas être chanteuse si tu t'accroches à moi. On ne peut pas passer sa vie sur les planches avec un bébé dans les pattes. En même temps, je vois ce que tu veux dire. Il faudrait, pour cela, chanter. Tu m'aideras, si je te garde ? Tu m'aideras à devenir ta maman, à mener notre vie ? Tu sais qu'une fille comme moi qui devient mère sans mari, cela fera de nous des pestiférés ? Ils t'appelleront le bâtard, ils me traiteront de pute. Nous devrons nous serrer les coudes, trouver une cachette. Je connais

86

les cachettes, je me suis cachée toute ma vie. J'aime bien. Mais pourquoi m'as-tu choisie ?

J'ai dit à Jeff que je ne me sentais pas bien. Je ne vais plus au travail. J'attends. Je suis stupéfaite de ce qui m'arrive. Je croyais ce ventre incapable de produire la vie, trop abîmé. Et voilà qu'un je-ne-sais-quoi s'y installe. Que va-t-il se passer ? Je lui joue la berceuse de Grany. Je lui parle toute la journée. J'aime être habitée. Malgré l'incroyable surprise, j'aime sentir que je suis responsable de quelqu'un. Certains matins, je me réveille si joyeuse que cela me semble dangereux.

Au pied d'un arbre, dans la forêt humide, je dors, recouverte d'un long manteau noir. J'entends le bruit des feuilles qui bruissent, de petits animaux se faufilent dans la mousse, une chouette, au loin, ulule. Le ciel noir charbon scintille d'étoiles. À côté, un bébé chien à la fourrure blanche gigote. Dans un demi-sommeil, je tends vers lui une main heureuse, effleure sa fourrure. Il lèche mes doigts. Sourire. La boule de poils chauds grimpe. Viens, mon petit, viens. La lumière change, l'aube pointe, discrète. Il est temps de se mettre en route. Le petit chien dans les bras, un manteau qui recouvre la tête et les épaules, descend jusqu'aux pieds, je marche entre les arbres. Le chemin est connu, les pas sont sûrs. Le bébé bien serré contre mon sein. Dans la côte, mes jambes peinent. Je manque tomber plusieurs fois. Tout en haut, mon père, en habit de soldat, est assis sur une grosse pierre, il attend, sourit. Dans sa main, un long bâton, comme une canne. J'accélère le pas, lui présente mon trésor. Il s'émerveille du petit chien, caresse sa joue, fourre ses doigts dans la fourrure immaculée. Je dépose le bébé dans ses bras, fière. Assis sur la pierre, nous échangeons des sourires. Une odeur de tabac et d'eau de Cologne jaillit du passé.

Une douleur sourde me tire du sommeil avec violence.

— Vous êtes une miraculée, mademoiselle Serf, Monique, c'est cela ?

Silence.

— Saviez-vous que vous étiez enceinte ? Vous êtes mariée ?

Silence.

— Le fœtus poussait à côté de l'utérus. Il allait vous tuer. Vous êtes arrivée en choc septique. On vous a rattrapée par les cheveux, comme on dit.

Silence.

— On vous garde deux semaines encore. Le temps que vous repreniez des forces.

Silence.

— J'ai autre chose à vous dire, Monique. Nous n'avons pas pu conserver votre utérus. Vous êtes arrivée trop tard. Nous vous avons sauvée, mais vous n'aurez jamais d'enfant.

Je bouge très peu à cause de la douleur. Mon lit, dans la salle commune, est près de la fenêtre. Je regarde dehors, le ciel et les feuilles des arbres. Je reçois le bleu, le vert, le mauve, le rose. C'est tout. J'écoute mon piano. Il joue avec les couleurs.

Dans le lit à côté, une très vieille femme. Posée sur le drap, tout en rides et maigreur. Un chignon de cheveux blancs orne son visage, sur l'oreille droite. Ses yeux sont jaune doré, immenses, bien que presque engloutis sous les paupières tombantes. Il lui manque des dents. Devant surtout. Les nonnes viennent la nourrir de purée trois fois par jour. Elle déglutit mal. Elle garde dans sa main quelque chose de précieux.

Monique caresse le piano-papier, lové au creux de sa paume. Il fait nuit, la lune, bientôt, sera pleine et elle baigne la salle d'une lumière froide. La plupart des malades dorment. Loin du silence, pourtant. Ronflements, gémissements, prières, murmures, paroles folles. Un objet tombe au sol, tout près. La dame aux yeux jaunes a bougé, son objet précieux gît à la tombée du lit. Puiser des forces on ne sait où, se pencher par-dessus pour ramasser le trésor. C'est un carnet, brun. La couverture en cuir brut est retenue par une ficelle noire qui en fait plusieurs fois le tour. Monique pose le carnet à côté de la femme, sur le drap de l'Assistance publique. Dans les yeux, une lueur remercie. La lune brille. Soudain, le même bruit. Sursaut. La femme a laissé tomber son carnet pour la deuxième fois. Ramassé, posé à nouveau près d'elle, puis retour à la lune. Encore le bruit. Dans un demi-sommeil, le carnet au sol, rendu à la femme aux yeux jaunes.

Au matin, on a installé un pendant avec des rideaux autour du lit, plusieurs nonnes s'activent, leurs pieds s'agitent sous le drap blanc. Un prêtre se faufile dans la chambre de fortune. Dernière chambre. La femme est morte. Dans la mort, les malades ont droit à une certaine intimité. Sous l'oreiller de Monique, collé au piano-papier, le carnet de cuir. Chacune de ses pages est vierge. La nonne discute avec sa collègue :

— Elle a rejoint le Seigneur hier soir, d'après le médecin. Personne ne s'est aperçu de rien.

Les nonnes se signent.

Jeff vient la chercher. Pas un mot. À La Mansarde, il l'installe dans son lit. Elle est si faible qu'elle tient à peine assise.

Au sol, il dépose une louve. La bête monte la garde, fière, le menton levé.

— Tu n'as pas voulu me dire, Monique, je comprends. J'ai eu si peur. Tu étais en train de mourir. Je t'ai portée sur mon dos, je t'ai hurlé dessus pour que tu ne partes pas. Tu étais un pied dans la mort. Tu as dit des choses. Cette louve est pour toi. N'aie plus jamais peur. Elle dévorera ceux qui te voudront du mal. Tu peux me croire. Mes louves sont magiques.

Pendant vingt et un jours, l'apesanteur, le vide, la douleur.

Tout est blanc. Les couleurs ont disparu, les limites aussi. Le piano-papier s'est tu. Rester concentrée sur l'absence, creusée à la pelleteuse dans le ventre et dans le cœur. Prier pour le petit qui avait choisi, mais qui n'a pas trouvé sa place. Désert de sable, yeux fermés pour se protéger du soleil cruel. Immobiles, pour que le corps résiste. Tout mouvement permettrait au dernier souffle de s'échapper. Bander les muscles jusqu'à la douleur pour essorer les dernières larmes, qui coulent poisseuses comme le sang. Approcher l'infini, chercher ses contours dans la neige et les nuages, sans aucun repère. S'élever dans le vide, le haut-le-cœur permanent, dans un ciel humide et froid, en silence.

Il n'y a pas de mots pour cette souffrance. Il est possible qu'elle ne s'en relève pas.

Un jour, un sang rouge et chaud a coulé dans mes veines. Le cœur a recommencé à battre dans ma poitrine, ses battements ont brisé le silence. La fenêtre a laissé entrer un rayon de soleil, la nourriture a dégagé une odeur agréable. J'ai eu envie de laver mes cheveux.

Je serai chanteuse, piano, joue pour moi.

Sur la pointe de ses touches, le piano-papier esquisse des clochettes aiguës, dont la résonance traîne dans le ciel, une assise dans les graves, chaleureuse, lente. Pas de mélodie. Non, pas encore. Juste des traces de sons pour l'accompagner à la salle d'eau.

Elle était remise sur pied lorsque Claude, le magicien, revenu d'un voyage, a débarqué, surexcité, à
La Mansarde. Il avait repéré un restaurant dont
l'arrière-salle, avec un peu d'imagination, pouvait se
transformer en salle de concerts. Après discussion
avec le patron, le projet paraissait jouable. Claude
n'arrêtait pas de parler, de gesticuler. Monique écoutait avec attention, sa joie déteignait sur elle. Elle
pourrait jouer tous les soirs. Il la suppliait d'accepter.

Dans mon sac kaki, j'ai fourré mes robes, le carnet
de la dame aux yeux jaunes, la louve-statuette, un
rouge à lèvres, un crayon de khôl, mes lunettes, des
partitions, une boîte de Zan. Pour dire adieu à Jeff, qui
n'était pas là, j'ai allumé la bougie dans son atelier.
Il était temps pour moi de partir.

La Mansarde a pris feu. Tout a brûlé, sauf le piano.

D'abord, ils ont beaucoup bu. Claude était bavard comme une pie, mille histoires, mille auteurs, mille citations. Monique l'écoutait d'une seule oreille, soûlée dans tous les sens du terme. Comme elle n'avait nulle part où dormir, il l'a ramenée chez ses parents, lui a offert son lit.

Ils ont essayé de rentrer dans la maison bourgeoise sans remettre dix fois la clé dans la serrure qui grince, sans heurter le petit meuble de l'entrée qui cogne contre le miroir, sans éclater de rire, sans laisser choir leurs sacs sur le sol de la cuisine. Impossible.

— Bonne nuit, Monique, je dors sur le canapé du salon.

Au matin, nu-pieds, les cheveux défaits, le maquillage défraîchi et avec un mal de crâne carabiné, elle a rencontré la mère de Claude, juchée sur des talons dernière mode, chignon laqué sur le haut de la tête, tailleur rose pâle, et elle a bien senti son regard réprobateur.

Je me laisse porter. Claude me prend en charge. Il ne demande rien. L'argent n'est plus un problème.

Je le regarde travailler ses tours de magie, les cartes valsent avec ses longues mains fines. Dans ses yeux, je me transforme. Il me trouve belle. Difficile de s'habituer à se sentir séduisante. Je le surprends qui me regarde, souriant. Il m'embrasse, caresse mes joues. Il s'occupe d'organiser les concerts. Je plais à ses amis.

Ils louent une chambre, dans le vieux Bruxelles. Prudence a passé sa vie sur le trottoir, maintenant qu'elle a atteint l'âge mûr et qu'elle n'a plus toute sa tête, elle reçoit chez elle. La location de la chambre lui permet de boucler les fins de mois.

Claude a tout lu, tout écouté, il connaît personnellement tous les artistes de Bruxelles, dessinateurs, peintres, sculpteurs. Il se lève enthousiaste, affamé de découvrir un auteur ou une chanson, il se couche épuisé, très tard, heureux des trouvailles du jour. Il lit Tchekov à voix haute, présente à Monique le café-concert de Fragson ou le répertoire d'Yvette Guilbert. Elle le trouve excentrique, drôle. Sa capacité au bonheur la fascine, elle qui fréquente si souvent les gouffres sombres.

Il a grandi heureux. Sa famille lui a offert le meilleur. Quand il rentrait de l'école, on l'attendait avec un goûter, puis sa mère l'aidait pour les devoirs. L'été, ils partaient pour Deauville, l'hiver pour Megève. Je l'écoute me raconter son enfance et je n'en crois pas mes oreilles. Que puis-je lui raconter, moi ?

Il faut s'accrocher. Sous les pieds de Monique, c'est le vide, autour d'elle, un champ de bataille. Une seule phrase lui permet de tenir en équilibre : « Je veux chanter. » De toute sa force, elle se cramponne à cette idée. Rien n'est concret, il n'y a pas de plan pour la carrière, il n'y a même pas vraiment d'avenir. Au jour le jour, elle s'agrippe à ce seul espoir, sans savoir du tout comment s'y prendre. Une façon d'exister ou de conjurer le sort qui la jetterait volontiers dans le précipice. Claude répète sans arrêt qu'il fera d'elle une chanteuse. Qu'à cela ne tienne ! Elle s'agrippe à lui. Il se démène pour mettre en place la programmation de « La Poubelle », l'arrière-salle du Cheval Blanc, tout en menant ses études de droit et en faisant le prestidigitateur. On y jouera du théâtre, on y chantera, on y recevra des artistes incontournables. Surtout, Monique s'y produira tous les soirs.

Il la persuade de se placer sur le devant de la scène, d'inviter un pianiste pour l'accompagner. Il l'aide à travailler sa présence, ses mouvements, rudiments qu'il apprend lui-même de ses maîtres de théâtre, à l'université de droit. Il faut qu'elle s'invente un nom de scène. Elle veut chanter.

Je décide de m'appeler Barbara Brodi. Grany, ma chère Grany, s'appelait Brodsky. Je suis sa lignée, l'héritière de sa Moldavie. Tous ces A dans Barbara, ouverts comme mes bras, ouverts comme ma voix. Je me plais dans ce nouveau nom. Vierge de Serf, vierge de la petite Monique que l'on n'écoute pas. Barbara Brodi, ma nouvelle vie. Je me pavane toute la soirée dans mon audacieuse identité. Je suis la chanteuse Barbara Brodi. Je me répète devant la glace, Barbara, Barbara, Barbara, jusqu'à être hypnotisée par tous ces A. Lorsque je l'annonce à Claude qui rentre tard, il est aux anges. Le lendemain, première heure, il fonce à l'imprimerie pour commander des affiches. BARBARA BRODI EN CONCERT. Nous fêtons ça tous les deux, je me sens si bien, à déguster comme une grande dame la bouteille de bordeaux qu'il a subtilisée dans la cave de ses parents. Il offre à sa Barbara des bracelets d'argent qui cliquettent joliment. Les mouvements de mes mains changent, ils sont plus délicats, plus aériens. Il me dit : « Alors, Barbara, que nous chantes-tu ce soir ? » et je lui réponds, diva : « Ce soir, mon cher Claude, je chante pour toi le répertoire de Barbara. » Nous éclatons de rire.

Monique et Claude dorment dans le même lit, partagent leurs repas en discutant de chansons et de livres, se quittent très peu, ont même adopté un chien, qu'ils ont trouvé abandonné dans la rue, mais ils n'ont pas encore fait l'amour. Claude attend de sentir son désir à elle. Il dit qu'il n'est pas pressé. Il dit qu'il l'aime, ne pose pas de questions, embrasse, caresse les cheveux, glisse la main sous la robe, s'imprègne de la chaleur de sa chanteuse. Elle laisse son corps venir doucement vers lui. S'étonner de tant de patience et de tant d'amour. Pour la première fois, se trouver attirante. L'amour que Claude lui porte l'embellit. Il l'adore.

Cette nuit-là, Prudence tambourine à la porte, en furie. Elle hurle : « Au voleur ! Au voleur ! » Dehors, tout est noir. Prudence s'agite, on dirait une autruche unijambiste, avec toutes ses plumes et son unique escarpin. Elle hurle au visage de Monique : « Rends-moi mon argent ! Rends-moi mon argent ! Voleuse ! » L'oiseau bruyant traîne la chanteuse jusqu'au salon. Une latte est arrachée du parquet. « Regarde ! Tu as tout pris ! Où est mon argent ? » Monique garde son calme, réprime un fou rire, explique doucement que c'est sûrement une erreur, qu'il doit y avoir une autre cachette. Commence alors une longue chasse aux billets, à démonter des lattes de parquet dans tout le salon, dans l'entrée, le couloir. C'est finalement sous une planche de la deuxième marche de l'escalier que le butin est débusqué, sous les gémissements de Prudence, qui transpire à grosses gouttes. Il faut la voir attraper les biffetons et les fourrer dans son chemisier, à quatre pattes sur le sol, en jarretelles. Ensuite, elle couvre les joues de Monique de baisers, qui laissent chacun leur trace de rouge à lèvres indélébile.

— Retourne vite dans ta chambre, Monique. J'ai un client qui arrive. Et je ne veux pas vous entendre !

Claude s'est déjà rendormi, le torse nu, les jambes emmêlées dans les draps. Elle s'approche de lui, caresse son épaule et son cou. Des baisers déposés sur ses paupières. Merci, Claude, dans un murmure. Son visage râpe de ne pas être rasé, elle passe la main dans ses cheveux emmêlés. Il est beau, Claude.

Une vague rouge se niche sous l'estomac d'abord, enveloppe le creux des reins. Il faut laisser le temps. Épaules, cou, cheveux, lèvres, yeux. De l'eau glisse entre les jambes. Enlever la grande robe pour se blottir, nue, surprise.

Il réagit immédiatement, la serre contre lui, caresse son dos, ses fesses. Ils s'embrassent. Il pose sa bouche dans son cou, lèche, suce. Surprise du ventre, transportée. Les seins malaxés, embrassés. Tendre vers lui. Muscles lourds entre les jambes. Claude écoute. Son sexe glisse, happé. Ils bougent ensemble, agrippés l'un à l'autre. Une sensation fulgurante la traverse de part en part, le temps s'arrête, ses muscles se retrouvent à vif, écorchés de plaisir. Soubresauts nerveux. Elle arrache de ses ongles la peau du dos de Claude, qui s'est tu, ne bouge plus. Des larmes coulent de ses yeux, il sanglote.

Joue, piano, joue. Je suis amoureuse.

Claude promène sa bohémienne vêtue de noir dans les rues de Bruxelles, dans les cafés, les expositions, les vernissages, les théâtres. Bras dessus, bras dessous, ils rient beaucoup. Ils annoncent les concerts à venir à La Poubelle. Il suffit de ne pas trop penser, de se laisser aller. Sourire, s'amuser, feindre l'insouciance jusqu'à ce qu'elle devienne réelle. Flotter, planer au-dessus des autres. Elle est déjà si loin, la rue Vitruve. Monique joue à la grande dame, à l'artiste, à l'amou-reuse, au clown. Il faut bien se trouver une identité, l'originale étant invivable.

Je suis un peu plus grande que lui, mais il est musclé, large, haltérophile. Il peut me soulever du sol comme une plume. J'aime passer mes mains sur son torse, dans ses poils. Je peux marcher nu-pieds, les cheveux dans le dos, des plumes dans le cou, il est toujours fier, rien ne le choque. Cela tombe bien parce que j'adore me fiche des convenances. Depuis quelques jours, il se laisse pousser une moustache fine, nous allons bien ensemble.

Un après-midi, alors qu'ils traînent au café, à lire les journaux, une jeune femme s'installe au piano. Monique n'en croit pas ses oreilles, la pianiste possède un phrasé, un toucher, une musicalité uniques, subtils, aux sonorités bariolées, capable de passer du cristal au velours en deux doubles croches.

— C'est elle qu'il te faut, lui murmure Claude dans la seconde.

À la fin du morceau, Monique discute avec la musicienne. Elle s'appelle Ethery, elle vient de Géorgie, premier prix de conservatoire, et joue du folklore traditionnel dans un café du centre-ville, et répète ici de temps en temps, elle aime beaucoup ce café. Elle est aussi petite et sèche que Monique est grande et enrobée. Les filles se plaisent instantanément.

Vite, elles se retrouvent trois après-midi par semaine dans l'arrière-salle du Cheval Blanc pour travailler le répertoire de Monique, Fragson, Guilbert, Fréhel. Aussi Ethery en profite-t-elle pour donner quelques cours de piano à la chanteuse, heureuse d'apprendre enfin sérieusement. La grande première à La Poubelle a lieu dans quinze jours. Au programme, *La Mouette* de Tchekhov, jouée par une troupe de Namur, Barbara Brodi et son répertoire début de siècle, accompagnée d'Ethery Rovchazé, Claude le magicien, un mime. Les préparatifs sont agités, le trac serre les entrailles. Claude se démène, la paperasse, les invités, les discussions avec le patron. Monique répète sans arrêt, ajoute un morceau, en enlève un autre, change une tonalité, doute.

Puis, c'est le grand soir.

Je monte sur scène après la pièce de théâtre. La salle est pleine, mes mains sont trempées. Comment peut-on fabriquer autant d'eau dans les paumes ? Mon souffle est court. Pourquoi me suis-je mis dans la tête que je voulais être chanteuse ? J'ai oublié mes textes, ma voix, coincée au fond de la gorge, ne voudra pas sortir. Il est encore temps de renoncer. Ma tête tourne.

Une marche, deux marches, trois marches.

Un bourdonnement sourd résonne dans ma tête. Je n'entends plus.

Ethery s'installe au piano, Monique, grande, ronde, habillée d'une ample robe noire, les yeux charbonneux, la bouche rouge vif, lève les deux bras, suspendue à un fil invisible. Ethery prend une grande respiration, top départ de la chanson : *Madame Arthur* de Paul de Kock, chanson que Yvette Guilbert a rendue célèbre.

J'abaisse mon diaphragme, l'air sort, ma voix s'élève. À l'instant où je me mets à chanter, je suis seule au monde. Je voudrais que le public se taise. Il n'écoute pas. J'ai la voix puissante, alors je hausse le ton. Je me balance d'un pied sur l'autre, à en perdre l'équilibre. Je sens bien que je force. Ce n'est pas toujours juste, j'entends mal le piano d'Ethery. Lorsque le premier morceau se termine, je voudrais sortir de scène, mais Ethery me fait signe. Allez ! Accroche-toi ! Je continue, je m'énerve, je chante, j'ai envie de leur crier de se taire, de m'écouter. Juste devant moi, une jeune idiote fume et parle à sa copine. À peine si elles ne me tournent pas le dos.

Le public se désintéresse en moins de dix secondes. Monique tripote nerveusement son piano-papier, niché contre son sein. Certains sont tellement déçus qu'ils la harponnent : « Hey ! tu t'es trompée de siècle ! Quelqu'un t'a prévenue que c'était le vingtième maintenant ? » Monique sort de scène vexée, prête à pleurer.

— Mais non ! Ma biche ! Ils t'ont adorée ! J'ai vu Odile et René, ils m'ont dit de te féliciter, ils étaient bouleversés par ta voix. Jacqueline, aussi, de la Galerie, t'a trouvée formidable. Ne t'arrête pas à quelques idiots qui ont trop bu. C'est un succès. Fourre-toi cela dans la tête. Un succès ! N'est-ce pas, mon cher Raymond, qu'elle est formidable, ma Barbara Brodi ?

Claude est enthousiaste. Il parle fort, distribue des accolades, son bras passé sur l'épaule de la chanteuse à la mine boudeuse, il éclate de rire à tout bout de champ. En fin de soirée, ils sont une petite poignée, au bar, à persuader Monique qu'elle était exceptionnelle.

Ma mémoire a effacé le moment du concert. Je ne me souviens de rien, comme au réveil d'un sommeil sans rêve. Je me vois monter les marches, puis les descendre. Entre les deux, l'amnésie. À la fin, je me suis sentie heureuse comme jamais. Toutes ces félicitations et ces embrassades. Je voyais dans les yeux des amis de Claude un mélange d'admiration et de jalousie, j'étais au centre des conversations, on m'offrait à boire, on me souriait. Dans la vitre du restaurant, je percevais mon visage, ma silhouette, cette robe m'allait bien et je me trouvais belle. Un groupe de filles est venu me parler, des filles à la mode, jolies. Elles étaient intimidées. J'ai pris ma revanche.

À force d'entendre son amour et ses amis lui répéter qu'elle est exceptionnelle, elle finit par le croire. Elle se rejoue une nouvelle version du concert, dans laquelle les émotions sont justes, la voix bien placée, dans laquelle aucun objet n'est lancé sur scène, et cette nouvelle version remplace la catastrophe dans son souvenir. Elle n'aurait jamais pu jouer la semaine suivante si elle avait dû encaisser la vérité.

Parce qu'elle remonte sur la scène de La Poubelle toutes les fins de semaine.

Pas une seconde Claude ne met en doute le talent de son amie. Il l'aime dans la vie, il l'aime sur scène. Il l'encourage, l'applaudit, la vénère. Et il parle tout le temps.

— Il n'y a plus la même classe dans les chansons d'aujourd'hui. Les chefs-d'œuvre, il faut savoir les reconnaître. Ce n'est pas parce que c'est nouveau que c'est mieux. Tu incarnes merveilleusement les compositeurs de cette époque. Regarde, tu chantes les chansons que j'aime, et en plus je peux te faire l'amour. Je suis le plus heureux des hommes.

Il plonge dans son cou.

La fougue de Claude, son amour, son optimisme à toute épreuve, sa confiance inouïe la poussent à remonter sur scène. Elle se voile la face, ignore avec superbe le public qui ne la soutient pas du tout. C'en est, certains soirs, indécent.

J'aime qu'on m'aime. J'aime qu'on me regarde et qu'on m'admire. J'aime monter sur la scène, m'exposer, me montrer. Rien n'est comparable à ce sentiment. Mais pour le comprendre, il faut avoir disparu au moins une fois dans sa vie, il faut comprendre la douleur de n'être plus rien, d'avoir été effacée. Sur la scène, j'existe, et je ne suis plus en danger. À peine les quelques marches descendues vers le monde commun, me voilà vulnérable à mes démons. Pour le reste, ça viendra.

— Je ne peux pas accepter. On s'était mis d'accord, le gars me laisse bosser, nous, on prend la recette de l'entrée payante pour rémunérer les artistes, lui, il se paye sur le bar et le restaurant, puisqu'on lui remplit sa salle. C'est honnête. Et encore ! Regarde ce que nous gagnons ! À peine de quoi se loger et manger quoi ? Du pain. Alors que lui, son café ne lui a jamais rapporté autant. Et grâce à nous ! Aujourd'hui, il a le toupet de me réclamer cinquante pour cent de l'entrée. Maintenant que ça roule, que le public connaît le rendez-vous. Ce type est un truand, il n'y a pas d'autre mot. Je suis en rage. Je ne peux pas céder, je ne suis pas un pigeon. Et puis, tu comprends, si on se laisse traîner dans la boue ainsi, tous les cafetiers de Bruxelles mangeront sur le dos des artistes. C'est au nom du respect de la profession que je dois fermer La Poubelle. Qu'ils se passent le mot. Les artistes doivent gagner de l'argent, c'est un métier.

Claude tourne en rond dans la petite chambre, gesticule, les bras en l'air, fou de colère.

Je le regarde s'énerver. Il a raison, bien sûr. Mais ce n'est pas si facile de trouver des endroits où jouer. Un travail de titan de monter La Poubelle. Les examens approchent, il doit réviser, il peut compter sur ses parents. Moi, je n'ai rien.

— On va trouver, on s'en fiche de manger tous les jours, on s'en fiche de dormir dehors ! On ne cédera pas à ces arnaqueurs qui ne comprennent rien à l'art. Ça, jamais !

Le temps des examens et, sous la pression parentale, Claude retourne vivre dans la maison familiale. Il continue de payer la chambre chez Prudence.

Monique et Ethery n'ont plus d'endroit où se produire, alors elles décrochent un boulot chez Adrienne, la complice de Prudence.

J'ai cherché dans tout Bruxelles un endroit où jouer. Rien. Trop ceci, pas assez cela. Je n'allais pas attendre le retour de Claude sans bouger. Puis, faut bien manger. Avec Ethery, on bosse la nuit. Toute la nuit. J'aperçois la lumière du jour au petit matin quand je rentre chez moi, sinon je vis sous la lune, avec qui je m'entends bien.

« Chez Adrienne, on ne monte pas ! » Voilà la première phrase qu'elles ont entendue de la bouche de la tenancière. Ce n'est pas un endroit où les filles se prostituent. Elle y tient, Adrienne, après plusieurs décennies de trottoir. Son bar reçoit des hommes seuls, qui noient leurs déshérences dans l'alcool et l'obscurité. Ici, on traîne son chagrin, sa solitude, son désespoir. Ici, on n'est pas jugé, on n'est pas toisé, même lorsqu'on ne tient plus debout, même lorsqu'on a abandonné sa femme et ses enfants, même lorsqu'on a été soldat et qu'on ne peut plus dormir. Monique et Ethery se relaient sur un piano ancien, tellement cabossé qu'il tient debout avec des cales, la moitié de ses touches éclatées. L'une chante Fréhel, l'autre joue le folklore géorgien. Pour gagner de l'argent, il faut plaire aux clients, jusqu'à ce qu'ils paient un whisky. Alors Adrienne envoie aux filles un verre de thé. Elles touchent un pourcentage sur les boissons. Chez Adrienne, l'ambiance est triste souvent, engourdie, pourtant il y règne une intensité étrange. Lorsque Monique s'installe au piano, elle ouvre le cœur des gars. Au couteau.

Il ne se passe pas une nuit sans bagarre. C'est quasiment un rite. L'alcool, la tristesse et les hommes, cela se finit toujours en coups de poing. Lorsque le ton monte, les musiciennes se réfugient derrière le bar. Adrienne, du haut de ses soixante ans officiels, s'empare d'un grand bâton en bois, se jette dans l'empoignade, menace et sépare. Lorsque l'effusion masculine est apaisée, elle sert un coup à boire, console et lance un « Ethery ! Monique ! Jouez donc un truc plein de gaieté à Monsieur George, qu'il se remette de ses émotions ! ».

Alors, à pas lents sur le parquet qui grince, dans le flou de ses longs vêtements noirs, Monique traîne sa silhouette de pirate fantôme jusqu'au piano débraillé, s'assoit, joue et chante pour le pauvre type violent, accoudé au bar, les sanglots ravalés depuis trop longtemps. Elle chante l'amour et la rue, la mort et la guerre, pour les faiblesses, pour les coups pris et les coups donnés, pour les disparus, pour les mères. Mais au plus profond, là où l'incendie ravage, elle chante pour son père qui s'est enfui.

Ce soir, dans un fracas clinquant, débarque la maréchaussée. « Allez allez ! Tous debout, on sort ses papiers ! » Pas le temps de se cacher. Ce n'est pas la première fois que les flics font une descente, mais désormais ils ont pris le pli et s'arrangent pour être si discrets dans les escaliers qu'on ne les entend plus venir.

— Française ? Et depuis combien de temps êtes-vous ici ? Vous vous rendez compte que votre permis de séjour est expiré depuis plusieurs mois ? Suivez-nous, mademoiselle.

Au trou. Entre deux clochards à l'odeur insoute-nable et une poignée de prostituées. Les fesses sur un bout de banc, les genoux remontés jusqu'au front, Monique cache son visage.

Je pleure. Je ne le dirai à personne. Je pleure de fatigue, de rage et de dégoût. Je pourrais chanter, dans cette cellule, *Je me fous du monde entier* résonnerait magnifiquement dans le visage de cet homme perdu et de cette fille détruite. J'entends mon piano-papier qui attaque les premiers accords. Je n'ai jamais pu lui résister. Alors, dans mon cœur, dans ma tête, je chante pour eux. *Le ciel bleu sur nous peut s'écrouler et la terre peut bien s'effondrer*. Je dois leur sourire dans mes larmes car ils me regardent bizarrement, gênés. Je me sens forte avec ma chanson. Je suis avec eux, les blessés de la vie, ceux qu'on n'a pas su protéger. Je suis la chanteuse de prison. Je les aime, je chante pour eux. J'éclate de rire. *Je me fous du monde entier*.

111

Lorsque Monique et Claude sortent du poste de police, ils gardent le silence. Elle est épuisée, sale, affamée. Lui s'en veut de ne pas pouvoir lui offrir mieux que le salon-bar d'Adrienne.

Il a promis à la police qu'il allait l'épouser, seule condition pour qu'ils la laissent partir. Dans les trois semaines, ils la convoqueront, si elle n'est pas mariée, ce sera l'expulsion vers la France, avec une interdiction de territoire de dix ans. Elle n'est pas encore au courant.

Ambiance électrique chez Adrienne, déjà plusieurs bagarres. Il fait une chaleur de gueux. Le bar transpire à grosses gouttes. Au-dedans gronde ma colère, elle surgit parfois, incontrôlable. Pas encore joué de la soirée. Trop occupée à sourire à ces trois pilotes de l'armée, grossiers et soûls. Ils sentent l'alcool et la lâcheté. Je provoque. Ils en redemandent. Plus je déteste leurs rires gras, plus ils rient. Ils ne me font pas peur, je n'ai rien à perdre. Mais cette colère risque de me précipiter vers le danger. J'ai des envies d'explosion. Le sol est jonché de verre cassé, d'alcool et de poussière. J'en suis à mon sixième faux whisky. Adrienne cligne de l'œil pour me dire que je fais du bon boulot. La lune s'endort dans le ciel. La lumière du petit matin rend les visages plus blafards encore. Ethery séduit à une autre table, les cernes dévorent son visage. Adrienne fume. Empoche, remet du rouge à lèvres. Chanteuse, vous êtes chanteuse ?

Un grand gars, gueule de brute, immense, une casquette enfoncée sur sa tête chauve, s'assoit au bar, commande.

Il se dirige vers moi, un verre à la main. Ses yeux

sont transparents, entourés par des sourcils très noirs. Une tête de loup.

Un défi à relever. Affronter le danger. Sans peur. Rien n'a d'importance.

Pourriez-vous chanter une chanson pour moi ? De son portefeuille, il sort une liasse de billets. Les pilotes ne bronchent pas. L'homme-loup impressionne, les hommes sentent, comme des animaux, lorsqu'il ne faut pas se frotter à un gars. Il prend leur place, les dégage du comptoir, l'accord est tacite.

Je m'assois au piano. Tout à coup, ma colère s'efface. L'homme pour qui je chante se transforme en petit enfant fragile. Un pauvre bougre grandi trop vite, plein de douceur, un homme qui poserait sa tête sur mon sein. J'ai envie de l'accueillir en moi.

Sol majeur, *do* augmenté d'une sixième, *Comment pourrais-je vivre si tu n'étais pas là ? Je ne connaîtrais pas, ce bonheur qui m'enivre quand je suis dans tes bras.*

Je sens son regard dans mon dos. Je lui offre ma nuque, puis le bas de mes reins qui se cambrent. Il écoute.

Alors, des ombres se dessinent sur les murs fanés, formes indistinctes d'abord, qui se tordent ensuite pour offrir leur spectacle. La salle se mue en un paysage étranger. Une route, bordée de buissons épineux. Marcher nu-pieds. Le soleil cogne, la lumière aveugle. L'ombre sur les graviers s'étend de côté, bosselée, tremblante. Claude tient la main de Monique. Deux silhouettes de dos, dans le contre-jour, sur une route sans fin. *J'ai parfois, sans te voir, des craintes folles, même un soir, sans te voir, je me désole.* La voix s'emplit de joie. L'homme géant ferme les yeux, ému

114

aux larmes. Quel est son secret, à lui, pour que cette scène lui arrache tant de peine ? Raconter une histoire qu'il comprend, qui le touche. Retenir son souffle. Dernier accord. Un *la* mineur sixième, inoubliable. La vision, le soleil, Claude, tout disparaît. Ce qu'il s'est passé entre eux, pendant la chanson, est mystérieux. Personne, dans la pièce, n'a pu ignorer le lien qui s'est tissé entre la chanteuse parisienne et le gaillard muet.

Puis, dans la lumière du jour, Monique attrape son sac derrière le bar.

— Ethery ! On y va ! Ce matin, je me marie !

Nuit sans sommeil. Une brassée de lilas blanc. La robe noire. Un chignon bas dans le cou et les pieds nus.

En sortant de chez Adrienne, elles se sont assises au café. Les lilas, elle les a volés dans un jardin. Elles sont arrivées à la mairie vers dix heures du matin, les yeux cernés, le cœur battant. Prudence les attendait, elle tenait le chien en laisse. Claude et son témoin, étudiant comme lui, ont couru pour arriver avec dix minutes de retard, essoufflés et en sueur, ils sentaient l'alcool. Endimanché d'un costume sombre, trouvé aux puces, Claude tient la main de Monique. Le piano-papier monte et descend le clavier à toute vitesse, joyeux.

Ils se disent oui dans un souffle d'euphorie. Ne pas y croire, tant d'amour. Les jeunes mariés s'enlacent, s'embrassent devant leurs trois témoins, heureux. Ils s'offrent un restaurant italien, les nappes sont en vichy rouge et blanc, les bouteilles de vin servent de bougeoir, de fausses grappes de raisin pendent aux murs, ils ont chaud, juste à côté du four à pizza.

La première faille s'ouvre un soir, sur la scène du cabaret de La Rose Noire. Monique y a décroché un tour de chant, toute seule, sans l'aide de Claude, qui méprise ce cabaret « trop moderne ». Lui est retenu à une réunion de famille ce jour-là, il ne peut assister au concert. Monique n'arrange rien en se moquant du costume qu'il doit porter « pour plaire à sa maman ».

Elle s'amuse à imiter les intonations bourgeoises de la mère de Claude :

— Mais qu'il est élégant le petit Claude avocat, dans son costume trois pièces ! Un vrai notable. Savez-vous qu'il est magicien ? Et que sa femme est chanteuse ?

— Mais non enfin, c'est impossible ! Dans cette famille, ils sont avocats de père en fils depuis des générations.

— Quant aux épouses, ce sont des modèles de femmes d'intérieur, actives dans les œuvres de charité. Leurs enfants sont tous très bien élevés. Que me chantez-vous là ?

Claude sourit. Un rictus amer. Facile de se moquer pour celle qui a coupé tous les liens avec sa famille, qui n'a aucun engagement, qui ne serait rien sans lui. Il l'a sortie du fond du trou, lui a offert une scène, un nom. Elle peut être si sarcastique parfois qu'elle en devient presque méchante.

— Joue bien, Monique Serf. Je te revois dans deux jours.

Il quitte la chambre, énervé, malheureux.

À La Rose Noire, Monique, derrière le piano, chante *L'Hymne à l'amour*. Le bruit des conversations, des verres entrechoqués couvre sa voix.

Je sais qu'il est dans la salle. On ne voit que lui. Cette chanson, j'aurais pu l'écrire, je l'ai même chantée en prison. *Que m'importe, si tu m'aimes, je me fous du monde entier*. Je vais le lui dire, à Brel. Je chante pour lui. Je suis hantée. Je ne l'ai jamais aussi bien interprétée. Je ne suis pas surprise lorsqu'il m'invite à sa table à la fin du concert. Notre affinité est évidente. Il ne peut pas ne pas m'avoir entendue.

Alors que les convives rivalisent d'humour et d'intelligence, Monique, face à Brel, ne pose pas, ne sourit pas à outrance, ne mime pas. Elle est elle-même, sûre, solide. C'est la première fois qu'ils se croisent, mais ils se connaissent. Brel a trouvé chez elle l'intensité qui le malmène. Il a identifié sa jumelle habitée.

— Pourquoi chantez-vous Piaf et Fréhel ?

— Parce que leurs chansons sont exceptionnelles.

— Mais si rabâchées…

— Y a pas de mal à rabâcher des chefs-d'œuvre.

Ils se détachent de la foule du cabaret, sans s'en rendre compte. Ils marchent dans les rues pavées du vieux Bruxelles. La chaleur apaisée laisse place à une brise chaude, le ciel profond les enlace. Épaule contre épaule, deux amis de longue date, ils partagent leurs points de vue sur la chanson, la scène, le trac. Rien ne peut les séparer. Monique se sent protégée. Au côté de Brel, elle est chanteuse. Le droit de s'écorcher.

Ils s'assoient sur un banc. Elle remonte ses genoux sous son menton, face à lui. Il allume une cigarette. Elle raconte sa nuit au poste, son mariage, Prudence, Adrienne. Il parle de sa femme, des tournées, des nuits blanches.

Assis côte à côte sur la banquette de cuir d'un café sombre, ils admirent le jour qui se lève. Brel finit un verre de blanc, allume une cigarette. Il lui dit : « Chante. Chante, mais change de répertoire. » Il y a de l'admiration dans sa voix. De la pulpe de son pouce, il effleure les cernes de son amie. « Tu devrais rentrer. » Ils se quittent éblouis, sans s'embrasser, sans se toucher.

Lorsqu'elle entre chez Prudence, elle sait. Elle est sûre d'elle. Cela va arriver.

Quelques jours plus tard, un pli lui est adressé, aux bons soins d'Adrienne. La chanson s'appelle *Sur la place*, elle est écrite par Jacques Brel.

Chante-la en pensant à moi. Je serai alors quelque part, sur une scène, au loin.

Ton Jacques

Sur la place est une valse rapide qui tourne sur elle-même pour rendre fou de danse et de tournis. Monique la travaille d'arrache-pied chez Adrienne, qui fronce les sourcils, parce que les clients ne sont pas là pour l'écouter « monter des gammes », comme elle dit.

Sur la place chauffée au soleil / Une fille s'est mise à danser / Elle tourne toujours pareille / Aux danseuses d'Antiquité.

L'air tourne dans la salle du rade, rebondit aux miroirs encadrés de dorures élimées, s'enroule dans les lattes du vieux parquet rongé par les mites, s'entortille dans les verres sales, virevolte sur les grosses fesses d'Adrienne, se love dans le chagrin des hommes et dans leurs chaussures usées, se glisse dans les touches du piano désaccordé. Des ailes poussent dans son dos.

Il est temps de retourner à Paris.

Au Caveau des Légendes, Claude présente ses spectacles de prestidigitateur. Le patron paye bien. Il refile quelques billets à Monique pour qu'elle joue entre chaque artiste. Les jeunes mariés s'offrent une chambre d'hôtel dans le 6e, rue de Seine. Après les tours de magie de Claude, ils courent à L'Écluse ou au Café des Amis rejoindre des jeunes gens à la mode. Ils ont des amis poètes ou écrivains, d'autres sont danseuses, mimes, ou cherchent encore. Des oiseaux de nuit qui vivent au jour le jour. Aucun d'entre eux ne connaît le succès, ils n'ont pas encore les clés, les entrées mondaines, ne serrent pas la main des journalistes influents, ne sont pas invités au restaurant par des éditeurs, producteurs, metteurs en scène. Ils ont à peine de quoi se nourrir, poursuivent un rêve fou, certains par coquetterie, d'autres par nécessité. Le résultat de la course sera injuste et cruel. Monique n'a pas de piano, elle se débrouille pour répéter au Caveau des Légendes, avant l'arrivée des artistes. Elle travaille de nouvelles chansons. Chaque fois, Claude lui demande pourquoi elle a besoin de chanter Brel ou Brassens, alors que son ancien répertoire lui convient si bien, chaque fois elle lève les yeux au ciel et répond qu'elle fait ce qu'elle veut.

Sa démarche est plus souple, elle a minci. Contre son sein, le piano-papier ne la quitte pas, aussi indissociable d'elle que l'odeur du Zan et les longues robes noires.

Je ne trouve aucun endroit pour jouer. J'ai passé une bonne dizaine d'auditions depuis que nous sommes à Paris. Il y a toujours des reproches, des réserves. Trop ceci, pas assez cela. Vous êtes triste. Vos vêtements ne conviennent pas. Vos chansons filent le cafard, on cherche quelque chose de plus gai. Ils n'osent pas dire que j'ai une drôle de tête, que je ne suis pas assez jolie. Je vois bien les filles embauchées pour se trémousser en robe de soie rose. Je sais bien que c'est ce qu'on cherche. Soyez jolie, faites-nous rêver et laissez l'artistique au sexe compétent. Les hommes. Des siècles que les artistes sont des hommes, ce n'est pas pour rien tout de même ? Je les ignore. Je trouverai mon chemin, je gravirai les milliards de marches qui me séparent de mon public, je me sens comme un bolide de course. Rien ne m'arrêtera. Sauf la mort. La mort reste une option. À L'Écluse, le cabaret le plus en vogue, la salle d'avant-garde, minuscule, mythique, Chevalier, le programmateur, a hésité, je l'ai senti. Lui, il s'en fiche des midinettes. Il veut des chansons contemporaines. Je lui ai chanté Piaf, parce que c'est ce que j'interprète le mieux, il me semble. C'était une

123

erreur. Je travaille d'autres chansons, j'ai découvert Ferré. Je trouverai. L'autre jour j'ai été reçue par Wiener, le grand découvreur de Piaf, justement. Il m'a dit qu'il n'avait pas de boulot pour moi, que le monde changeait en ce moment et qu'il n'était pas sûr de le suivre. Il a aussi dit, je ne l'oublierai jamais :

— Je peux vous assurer que je vois en vous ce qui manque à tant d'autres. Vous avez le chien, la personnalité, la fêlure des meilleurs. Travaillez, je vous garantis que vous vivrez un jour de votre voix. Ayez confiance. Ne vous perdez pas, devenez vous-même, envers et contre tout. Piaf était en haillons la première fois que je l'ai vue. La deuxième fois aussi.

Laisser Claude dans le lit, se glisser sur le bal-
connet de l'hôtel. Une table et deux chaises en fer
forgé se serrent au-dessus des terrasses des cafés. La
lune éclaire les pavés secs de Paris, une chaleur à
crever étouffe les mouvements. Une paire de ciseaux
à la main. S'asseoir par terre, sans ménagement pour
la robe de chambre en coton noir et liséré crème
qui doit dater des années trente, trouvaille des puces
de Bruxelles. Le silence danse. Détacher le chignon
natté. Les cheveux descendent sous le sein, jusqu'à
la taille. D'une main, la masse de cheveux noirs,
de l'autre, approcher les ciseaux. Pas une seconde
d'hésitation. Le crissement des lames qui peinent à
attaquer la masse, tant la chevelure est épaisse. Un
bruit de harpe enveloppé dans un linge accompagne
la chute des longs cheveux sur le sol. Recommencer,
plus court encore. Derrière, tendre le ruban noir en
haut de la tête et couper en aveugle. Au sol, une
mer de serpents sombres recouvre la pierre brune. En
coupant, se répéter « Voilà. Je suis elle maintenant ».
Couper court, très court, balayer de la main les résidus
qui agacent la nuque. Montagne pointue, immuable.

« Voilà, je suis elle maintenant ». Couper les cheveux, sentir monter l'euphorie, se débarrasser d'un poids inconscient jusqu'ici. Hurler Joue Piano ! Joue ! Pousser un cri à l'intérieur, un cri de joie et de libération. Pas un cri soudain sorti du ventre comme un coup de poing, non, ce cri-là dure, il reprend son souffle et recommence. Hurler, damnée, sorcière. « Je suis elle maintenant ! Je suis elle ! » Émietter les cheveux dans l'air. Ils tombent et s'échappent dans l'anarchie. Passer les doigts sur le crâne. La sensation est inouïe. Les cheveux sur la tête n'ont connu que Paris. Ceux qui se tortillent sur les pavés en ont vu bien d'autres. En silence, sur la pointe des pieds, retourner se coucher contre Claude. S'endormir immédiatement, délaissée du fardeau d'une vie.

Je suis moi.

Monique se réveille en début d'après-midi, dans les bras de son mari, amoureuse. Elle file au Caveau travailler son piano, de nouvelles chansons. Le soir, elle court les cabarets, puis elle retrouve Claude à L'Écluse. Elle est heureuse, meurt d'envie de monter sur scène, elle ne vit que pour ça, mais à Paris, la concurrence est rude, il faut être à la mode, connaître du monde, plaire aux bonnes personnes.

À L'Écluse, ils ont une programmation moderne, ils cherchent les nouveaux talents, des textes audacieux. Monique vient écouter les artistes, regarder les mimes, découvrir, apprendre. Quand le public rentre chez lui, Chevalier ferme la porte qui donne sur la Seine et garde quelques habitués, Claude et sa femme en font presque toujours partie. Chevalier ouvre une bouteille, on sort les verres, les cigarettes. Installés sur la scène désertée, on discute jusqu'au petit matin.

Ce soir-là, quand elle débarque les cheveux coupés, certains ne la reconnaissent pas. Chevalier reste bouche bée, Claude en éclate de rire. Dans les yeux de Lilianne, l'amie pianiste, il y a de l'admiration. Barbara est fascinante. Ceux qui accrochent son regard ne peuvent s'en détacher. Ces cheveux courts lui donnent un air d'étrange Pierrot lunaire. On se retourne sur elle.

Dans le regard des autres, elle devient séduisante. Son corps l'encombre moins. Le soldat ne vient plus. Elle s'apaise.

Ils sont affalés sur la petite scène de L'Écluse, comme d'habitude. Claude, allongé sur le dos, en appui sur ses avant-bras, accueille la tête de Monique sur son ventre. Chevalier est adossé au piano, dans un drôle d'équilibre. Il y a aussi Lilianne et une ou deux autres personnes. Qu'importe. Monique parle de Brel, décrit leur rencontre en Belgique, raconte qu'il lui a offert une chanson, qu'ils ne pouvaient plus se quitter. Claude garde le silence, il est jaloux. À croire qu'elle le fait exprès. Elle continue son bavardage sur le nouveau répertoire qu'elle travaille, contre l'avis de son mari. Tous, ici, connaissent le goût de Claude pour les vieilleries, on s'en amuse, on le prend un peu de haut. Chevalier la met au défi, il s'agace de l'entendre tant parler d'elle alors qu'elle n'a même pas un endroit où se produire. Tout Paris sait que Monique, malgré sa pugnacité et son sourire, n'intéresse personne.

— Tiens, la belle, joue-nous donc cette chanson dont tu parles tant, celle que Brel t'a écrite. Je suis curieux.

L'atmosphère joyeuse se transforme en un silence figé. Chevalier ne confond jamais le boulot et les soirées entre amis. Il propose des auditions tous les lundis matin pour détecter les nouveaux talents. Monique a eu sa chance. Elle aurait pu la tenter encore. Mais ce que Chevalier lui demande à cet instant précis est pire qu'une audition, il la provoque. Il a bu. S'est-il disputé avec sa femme ? En tout cas, il déroge à toutes ses règles.

Le cœur de Claude bat vite. Monique se lève, quelques pas vers le piano. Une raideur nerveuse s'installe dans la pièce. Les mains en suspens au-dessus des touches. Relever le défi. N'avoir plus peur de rien. Une grande inspiration. C'est parti. Chevalier ne regarde pas. Il ferme les yeux, éméché. Sentir la lueur rouge dans le ventre, piquante tant elle est chaude. L'incendie se déclenche, consume. *La Place* est une chanson joyeuse, tournoyante, qui raconte l'été et la danse. Emmener tout le monde sur la place. Prendre par la main, raconter les pavés de Bruxelles, la voix de Brel. Dernier accord, de tout le corps. Résonance suspendue. Chevalier ne dit rien. Il se lève.

— Bon, les jeunes, sur cette belle chanson, il est temps d'aller se coucher. Ma femme m'attend. Et je travaille demain, parce qu'il y en a qui bossent, savez-vous ? Allez, ouste, dehors les saltimbanques !

Tous rient, jaune. Ne pas prononcer un mot à l'intention de Monique et de sa chanson est un affront inattendu. Pas le genre de Chevalier. Ils se quittent dans la nuit noire, sans oser croiser le regard de la chanteuse. Elle retient ses larmes.

Sortie du cabaret, le cœur éteint. Claude s'énerve.

— Tu n'aurais pas dû chanter. Chevalier était de mauvais poil, il te cherchait des noises. Tu aurais dû lui dire qu'il était trop tard. On ne passe pas une audition à deux heures du matin. C'est insensé. Tu ne trouveras aucun lieu pour t'accueillir si tu n'agis que sur des impulsions. Une audition, ça ne s'improvise pas, ça se prépare, ça se réfléchit.

— Claude, tu as l'air de toujours savoir ce que j'ai à chanter, à dire, à penser. Je ne regrette pas. C'est une belle chanson et je l'ai bien interprétée. Je t'accorde que Chevalier n'était pas dans son assiette. Je m'en fiche. Tu le sais, Claude. Personne ne décide pour moi.

Il tend la main vers les longs cheveux absents.

— Tu t'habitueras, Claude.

— Oui, sans doute. Et puis les cheveux, ça repousse, non ?

Sous les étoiles, il ne la voit pas lever les yeux au ciel.

Joue *La Place*, piano, joue.

Le piano-papier enchaîne les accords avec le plus de joie possible. Imaginer. Comme si Paris s'était évaporé pour laisser place à Bruxelles, au banc sur lequel les chanteurs ont partagé une cigarette. Monique croise le regard de Brel dans un café, sa voix enveloppe l'air, se substituant à celle de Claude. Petit à petit, alors que Claude disparaît, le cœur reprend de la vigueur, les pas dansent. La chanson trouve sa place de reine, son rythme virevolte.

Continue, piano, joue.

Et plus rien n'a d'importance.

Cette nuit-là, Claude passe ses mains sur la peau de sa femme. Il caresse sa nuque déshabillée. Elle laisse les mains parcourir ses épaules, ses seins, les yeux fermés, proche du sommeil. Leurs corps se connaissent bien, ils se frottent et se mêlent comme de vieilles connaissances. Elle vogue dans les bras de son homme, accompagne les mouvements. Les gestes sont délicats, habitués. Alors qu'elle se retrouve allongée sur lui, les jambes ouvertes pour l'accueillir – le désir n'est pas impérieux mais il réchauffe –, le sexe de Claude se recroqueville. Il la repousse gentiment sur le côté, sans un mot. Elle lui demande si ça va. Il répond oui. Il est fatigué.

Le lendemain matin, le couple se retrouve toujours dans le même troquet pour boire un café et lire les journaux. Claude est nerveux, ses yeux sont tristes. Monique s'efforce de sourire, sa joie artificielle sonne si faux que cela agace encore plus Claude, qui s'applique à ne pas trop le montrer. Il l'aime. Deux semaines plus tard, il doit retourner en Belgique pour son service militaire. La discussion n'a pas encore eu lieu, mais il considère comme une évidence qu'elle le suivra, même si une petite voix lui rappelle qu'elle n'en fait qu'à sa tête et pourrait se piquer de rester à Paris. Claude se demande comment il va aborder le sujet, lorsque Chevalier entre dans le café. Le couple échange un regard effrayé. Il ne manquait plus que lui pour détruire l'équilibre fragile de cette matinée. Chevalier n'hésite pas. Il commande un café au comptoir et s'installe à leur table.

— Ça va les amoureux ?

— Formidable, comme tu vois, répond Claude.

— Quelle chanson, Monique, cette nuit ! Quelle chanson !

Que se passe-t-il ? Pourquoi Chevalier leur joue-t-il ce cirque ?

— À partir de la semaine prochaine, j'ai une place en première partie pour les trois mois qui viennent. Si tu le désires, elle est pour toi. Je ne veux que du répertoire contemporain.

Monique ouvre des yeux immenses. Claude renverse son café. Chevalier enchaîne.

— Cinq chansons, à vingt heures trente. Tu seras payée. Pas grand-chose, mais bon, mieux que rien. On t'offre le repas, bien sûr.

Claude s'est ressaisi.

— Ma chérie, je t'en supplie, il faut que tu acceptes. Je reviendrai te voir quand j'aurai des permissions, et toi, tu pourras venir à Bruxelles les jours de relâche. Nous nous arrangerons. D'ici là, au Caveau, je trouverai une remplaçante.

Monique regarde son mari comme s'il venait d'une autre planète. Elle n'a jamais envisagé de partir pour

Bruxelles, comment ose-t-il y penser quand on lui propose un contrat à L'Écluse, quand Chevalier en personne se déplace pour l'inviter ? Elle fronce les sourcils. Claude se tait, penaud.

— Je serai là, bien sûr, Chevalier, je te remercie.

Son sourire explose, irrépressible.

Chevalier, pressé, avale son café et file. Monique et Claude s'évitent du regard.

— Tu vas complètement laisser tomber les grands compositeurs, alors ?

— Les grands compositeurs ?

Elle fulmine, la colère saccade ses gestes. Elle attrape son sac à main, jette quelques pièces sur la table et quitte le café. Claude la rejoint et, dans la rue, il ne retient plus sa fureur. Il reproche le changement, les cheveux, crie à la trahison. Monique hurle à la liberté. Claude ne comprend pas qu'il va trop loin, il insiste, charcute, abîme, puis tente de l'apaiser. Il propose une promenade avant de retourner à l'hôtel. Elle se déchaîne.

— Non, Claude. Non, non et non ! Tu m'entends ? Il n'y aura ni promenade ni hôtel. Ni rien. Je ne veux plus te revoir. Je ne veux plus t'entendre. Je ne veux plus rien de toi. Je veux qu'aujourd'hui tu disparaisses de ma vie.

Claude pâlit.

— Et qu'est-ce que tu vas devenir sans moi ? Tu crois qu'un contrat de première partie à L'Écluse, ça va payer l'hôtel et les sorties et les caprices ?

Monique se fige. Les yeux dans les yeux, elle lui dit adieu, fait volte-face et disparaît au bout de la rue, laissant là Claude, bras ballants, secoué, bouleversé.

C'est fini.

La voilà qui marche sa rage. Rien ne peut l'arrêter. Tourner autour de Paris pendant des jours, s'il le faut. Pas une larme. Marcher vite. Les nerfs à vif, éloigner des pensées le couteau qui torture, force le passage. Sa colère oublie Claude, comme s'il n'avait jamais existé, pour se râper la peau au souvenir du père. Pourquoi ? Pourquoi avoir disparu, l'avoir abandonnée, les saloperies qu'il lui imposait ne suffisaient donc pas ? De quoi est-elle coupable pour qu'il la châtie ainsi ? Pensées ruminées dans la tête, dans le sang, les muscles, la plante des pieds, derrière ses yeux qui grossissent et se retrouvent à l'étroit dans leurs orbites. Détruire, tuer. Peu importe qui ou quoi. Envie de fracasser et briser des os. Marcher jusqu'à sentir la fatigue gagner les tendons, jusqu'à ce que les épaules s'affaissent d'épuisement, que les poings se desserrent. Marcher jusqu'à Montmartre, se perdre. S'allonger sur l'herbe d'un parc inconnu, dans lequel trône une statue nue. Observer. Imposante dame figée pour l'éternité, livrée aux regards indécents. Elle voudrait couvrir la pierre d'un drap noir pour offrir à cette femme l'intimité et le refuge qui lui manquent tant.

Pour son père, la colère, lentement, se transforme en peine. Est-il encore en vie, a-t-il un toit au-dessus de sa tête, du pain dans son assiette ? Par flashes, réapparaissent les images de la guerre, quand elle le portait sur son dos et que ses jambes coupées laissaient derrière elles des ruisseaux de sang. Une fosse se creuse au fond de son ventre, distille une de ces douleurs floues, nuageuses, qui se dégonflent et se gonflent chaque fois un peu plus jusqu'à l'insupportable étouffement, dans une odeur de Zan.

Combien de temps reste-t-elle ainsi ? Il a commencé à faire froid, la nuit tombait, une femme âgée lui a demandé si tout allait bien.

Elle arrive à L'Écluse, dévastée. À cause de l'émotion et de la fatigue, elle parle plus fort que d'habitude, s'agite, sourit trop, cherche des yeux celle qui pourrait la consoler, Lilianne. Chevalier lui tend un sac de toile kaki et une valise en carton. Claude a déposé ses quelques affaires. Elle ignore le regard interrogateur, demande qui joue ce soir puis reste dans l'entrée à fumer, nerveuse, fragile.

Lilianne apparaît, généreuse et souriante. En un coup d'œil, la tête de son amie, le carton, le sac, elle comprend.

— J'en connais une qui ne sait pas où crécher ce soir !

— Tu ne crois pas si bien dire, Lili.

Dans la chambre de bonne, au sixième étage, vue sur les toits du 20e arrondissement, un lit et un piano droit. Un matelas est posé au sol, pour Monique. Les filles ont passé la soirée à L'Écluse, puis sont rentrées bruissantes de joie. Allongées chacune sur un lit, il n'y a pas la place pour un doigt de pied en plus. Elles fument une dernière cigarette en digressant sur Gréco et ses musiciens de jazz. Lilianne n'a pas posé de question sur Claude, Monique n'en a pas parlé.

— Tu as remarqué le garçon qui est venu nous voir, ce soir, il parlait avec Chevalier... Grand, un pull vert.

— Oui, Lili, il te dévorait des yeux.

— Tu sais, je ne me vois pas jouer dans les cabarets toute ma vie. J'aimerais rencontrer un type bien, de ceux qui savent aimer une vie entière. Me marier, avoir des enfants, je n'envisage pas une vie sans voir grandir des petits autour de moi. Le piano, je l'imagine comme une première partie de ma vie. Pianiste, puis maman. Je pourrais donner des cours, ou accompagner la chorale de leur école, les leçons

137

de danse. Je jouerai pour mes bébés, ils apprendront la musique. Je voudrais trouver l'amour, mais pas la passion, pas les sentiments qui vous tuent. Un garçon qui veut des enfants, et qui envisage de m'aimer toute une vie, quand je serai vieille et ridée.

— Tu ne seras jamais vieille et ridée, Lili.

— Je te reconnais bien là. Ton combat. Ta guerre. Tu défies les dieux. Moi, je n'ai pas peur de devenir vieille. Je me vois sereine et entourée d'amour.

— Je me vois sur scène.

— Et tes enfants, tu les emmèneras par monts et par vaux ? Tu les trimbaleras dans ton coffre, et tu les endormiras dans tes pianos ?

— Je n'y pense pas. Je ne pense pas à l'avenir, je ne pense pas au passé. Je suis ici, maintenant.

— Tu fuis la vie.

— Je ne peux pas la fuir. Elle me rattrape à chaque instant. C'est elle qui choisit. Plus le temps passe, moins elle me laisse de choix. C'est sur scène, à chanter, que je vivrai.

Dors, douce Lilianne, dors, tu sais comme le sommeil me torture, avec un peu de chance ton souffle endormi me bercera et m'emmènera vers les rêves.

— Et toi, Monique, tu ne veux pas d'enfants ?

Si, je crois que j'aurais aimé…

Se concentrer sur la respiration de Lilianne, qui ralentit, s'amenuise. Une pensée pour Claude, un

adieu. Les yeux grands ouverts, s'imaginer plus tard,
sans enfants, sans homme, sans amour. Murmurer.

Joue, piano, joue.

Je serai sur scène.

Ce jour-là, premier récital à L'Écluse. Monique arrive très en avance. Elle hume, touche, regarde. Quelques pas sur la scène, elle sent, sous ses pieds, les lattes de parquet foulées chaque soir par tant d'espoir. La loge est minuscule. Un cagibi sur le côté du plateau, un lavabo sale, un miroir brisé. Le soir, elle jouera Brassens, Brel, Bruant, Ferré, face aux bancs en bois, ornés des coussins rouges qui en ont tant vu. Bien serrées, on assoit soixante-dix personnes. Pas une de plus.

Je suis venue tant de fois ici. Je me tenais debout, là, sur la droite, dans l'entrebâillement de la porte. Je peux m'y voir. Ce soir, je serai sur la scène. Je ferai un signe à l'ancienne Monique, à son regard envieux tant elle voulait monter sur ces planches. Je lui dirai : Regarde, te voilà Barbara Brodi, à L'Écluse, tu es de ce côté, tu as eu raison de t'accrocher. Personne, mieux que moi, ne sait la volonté qu'il lui a fallu pour ne pas flancher.

Elle accroche la longue robe noire, qu'elle portera ce soir, à un clou planté dans le mur derrière le rideau, pose sur la petite table en bois un crayon pour les yeux, un rouge à lèvres, un carnet de cuir, une statuette, une feuille de papier sur laquelle est écrite une liste de chansons. Elle a apporté une rose, qui ira bien dans ce verre. Prête.

Elle attend. Assise sur une chaise, cachée sur le côté de la scène. Elle écoute les bruits du public, peu nombreux, qui entre, s'assoit. Des bribes de phrases arrivent à ses oreilles. Barbara ? Tu la connais toi ? C'est une chanteuse ? Il paraît qu'elle est belge. Une amie de Brel. Enfin, qui n'est pas ami de Brel, de nos jours.

Puis elle se laisse submerger par l'ampleur de l'onde rouge qui prend possession des organes internes. Sentir la chaleur. Les intestins, fragiles, qui se tordent avec la trouille. Se demander pourquoi on est là. Vouloir tout annuler, rentrer chez soi. Quelle idiotie, monter sur scène. Cela ne sert à rien. Puis, trouver la force, on ne sait où, peut-être vient-elle d'ailleurs, de plus mystérieux, de plus ancien. Poser un pied devant l'autre, apparaître dans la lumière, de l'autre côté, sous les applaudissements timides. Manquer s'effondrer puis recevoir la foudre, qui donne l'énergie de tenir debout, efface le passé et le futur, ancre la plante des pieds dans le ventre brûlant de la planète, étire le haut du crâne vers les astres. Devenir quelqu'un d'autre et pourtant l'essence de soi-même.

Chevalier prolonge de quelques semaines la programmation de la chanteuse Barbara. Le nom circule, il y a de plus en plus de monde pour venir la voir. Le « Brodi » disparaît tout seul, pour laisser place à Barbara, tout simplement.

De nouveaux amis et nouveaux amants entrent dans sa vie. Elle dort chez les uns et chez les autres, au gré du vent. Elle peut compter sur Lilianne pour lui ouvrir sa porte, même au milieu de la nuit. Parfois, elle s'offre l'hôtel.

Sagan vient l'écouter, Brel aussi. Un journaliste la félicite, il écrit deux lignes dans la rubrique « Paris, la nuit ». Elle enregistre un quarante-cinq tours, dans un studio en banlieue, elle peut le vendre à la fin de son récital à L'Écluse.

Je vis sous les étoiles, le jour m'aveugle. Je n'ai plus faim, une costumière m'a confectionné une tunique-pantalon dans laquelle je me sens longue et fine. Je n'ai plus de bourrelets. Ils ont disparu. Parfois je me demande où sont passés ces morceaux de moi. J'invite maman au restaurant tous les quinze jours.

Elle arrive pomponnée, comme si j'allais lui présenter le Tout-Paris. Je raconte les nouvelles chansons, les artistes que je découvre. Je fume, elle écoute, fière. Elle me parle de Jean, de Régine, ils vont se marier, ont trouvé du travail, ne lui donnent pas beaucoup de nouvelles. Heureusement, Claude vit encore avec elle. J'acquiesce, approuve, comme si j'étais son amie, sa sœur ou son mari. Elle me conseille de louer un appartement, elle pense que je serais mieux dans un endroit à moi, plutôt que de passer les nuits à droite ou à gauche. Je ne lui dis pas que je ne gagne pas assez pour louer la plus petite des chambres de bonne. Je ne lui dis pas non plus que je préfère vivre ainsi parce que j'ai la possibilité de m'enfuir à tout moment. J'ai peur d'avoir un chez-moi, comme un piège qui se referme.

Puis, elle tombe amoureuse.

Elle s'est déjà crue amoureuse, elle avait identifié l'amour, se croyait même experte. Cette fois-ci,
c'est une maladie, il n'y a pas d'autre mot. À ne
plus en dormir la nuit, à cesser de manger, rongée
par la jalousie. Dans les yeux, de la fièvre, sur la
peau, des frissons. Méconnaissable. L'homme en question, elle l'a rencontré à L'Écluse, un ami du patron.
C'est un notable important, ambassadeur ou quelque
chose comme ça. Il s'appelle Eugène, vit en Afrique,
à Abidjan. Il vient la voir, puis repart. La situation
les rend fous tous les deux. Elle tient à sa place à
L'Écluse, son piano, son chant. Lui, il la veut à ses
côtés tout le jour et toute la nuit.

Il lui suffit de s'approcher pour qu'un courant électrique me traverse. Je veux m'accrocher à ses bras et
vivre dans sa peau. Quand il retourne en Afrique, on
m'arrache le cœur et le foie. Je pleure comme une
gamine pendant des heures. Je ne savais pas qu'aimer
pouvait être si douloureux. Je cherche chez lui quelque
chose que je ne trouverai jamais. Pourtant je ne peux

résister. J'ai besoin de le sentir près de moi, son odeur agite mon ventre. Je suis incontrôlable, écartelée.

Eugène loue une chambre dans un hôtel particulier, au cœur du Marais. Ils s'y retrouvent après L'Écluse. Les fenêtres donnent sur un jardin empli de roses. Ce matin-là, il doit prendre l'avion. Encore. Ils ne peuvent pas se détacher l'un de l'autre. Les mains, les bouches, les langues, les sexes refusent de se quitter, refusent le calme. La nuit a été courte, rouge et bruyante. Elle le supplie de rester, d'annuler ce qui l'attend, cherche à le convaincre que cela n'a pas d'importance. Il s'habille en silence. Elle enfile une robe à la hâte et l'accompagne au jardin. La rosée perle sur l'herbe, ils s'embrassent, se séparent.

Elle plaque Paris et part vivre à Abidjan.

Un après-midi d'automne, jour de relâche. La pluie
me rend mélancolique. J'ai dans la poche le billet
d'avion que Eugène m'a offert. Un aller simple pour
Abidjan, sans date. Je veux vivre avec lui, ne plus
jamais le quitter. L'Écluse est triste, Paris est morose,
je chante mal, j'ai vingt-cinq ans. Je ne pense qu'à
une chose, l'odeur de son cou. Je plante Chevalier.
Des mois que j'ouvre les soirées, je fatigue. Il fulmine
mais n'en laisse rien voir. Pas un au revoir, il feint
d'être occupé, la tête dans ses papiers.

Elle pose sa valise dans un palais colonial sans cesse
rempli de dames en robe longue et messieurs en costume.
Mondanités et réceptions à n'en plus finir. Elle snobe la
soie pastel et les plumes dans les cheveux, erre, anachro-
nique, dans ses jupons noirs, le regard charbonneux. À
peine dit-elle bonjour, elle prend de haut, résiste.
Quatre fois par semaine, elle chante dans le seul
cabaret d'Abidjan, entre une danseuse du ventre et
une chanteuse orientale.

L'ambiance me rappelle « Chez Adrienne », la chaleur en plus. Le public est étrange, bariolé, bandit, perdu. Je suis la Française, avec ses chansons de Paris. Le ciel rougeoie au-dessus de la terrasse, on sert un alcool amer, la poussière de terre en suspension. Eugène ne supporte pas que je passe mes soirées à chanter. Pour son image, pour son ego. Je ne suis pas à la place d'une femme d'ambassadeur, je dérange. Il guette mon arrivée, pense que je suis tombée dans les bras du premier braconnier venu. Je rentre tard exprès, parfois je demande au chauffeur de ralentir, juste pour le faire enrager. Nous nous abîmons.

Elle refuse le mariage, ne tombera pas dans le piège. Pourtant, la vie serait belle et facile, à porter de jolies tenues, à accueillir les notables, donner des instructions au petit personnel. Plus de soucis pour se loger, manger. Envoyer de l'argent à Paris. Se plier à l'amour ne serait pas si terrible.

Il dit que je pourrais jouer dans les réceptions. J'aurais un public érudit, un verre à cocktail à la main. Il me veut pour lui seul, alors il critique mes choix, ma vie. Il dit que je suis indécrottable. Ce dont il est le plus jaloux, c'est mon piano. Il se perd en reproches, transpire à grosses gouttes parce qu'il croit que je lui échappe. Joue, piano, joue. Je n'entends plus ses mots.

Ils s'embrassent et leurs volontés disparaissent pour se confondre dans la nécessité d'appartenir l'un à l'autre, de se toucher, de se coller, de se pénétrer.

Chevalier rappelle. Il propose le tour de chant de minuit, celui des vedettes.

— Je ne veux pas que tu ailles à Paris. L'idée m'est insupportable. Réfléchis bien, je t'en supplie. Regarde ce que je t'offre ici et regarde ce qui t'attend. Tu n'as même pas de logement.

— Je retournerai chez ma mère.

— Chez ta mère, à ton âge ? Tu n'as pas honte ?

— Non.

— Et nous, qu'allons-nous devenir ?

— Tu n'as qu'à quitter tout ce tintamarre et venir vivre avec moi.

— Tu te rends compte de ce que tu dis ? Tu sais bien que je ne peux pas quitter ma carrière !

— Et moi, je le peux ?

— Cela me semble évident. On ne peut pas vraiment appeler cela une carrière, d'ailleurs.

— Appelle cela comme tu veux, cela ne change rien.

— Ta musique pourrait être un hobby, une coquetterie, mais tu prends ton piano tellement à cœur que tu vas détruire notre amour.

— Je ne détruis rien.

— Tu veux partir !

— Suis-moi.

— Tu ne veux rien entendre.

— Non. Je te tuerais plutôt que de ne plus chanter.

— Mais qui te demande de ne plus chanter ?

— Toi.

— Je te demande de rester avec moi.

— Et de renoncer.

— Franchement, renoncer à si peu de chose.

Elle retourne vivre dans sa chambre d'autrefois, avec ses rideaux, sa petite table de nuit, l'étagère vide, la place du piano. Il n'y vit plus qu'un petit frère, drôle de rencontre. Jeune homme sensible, au regard charmeur. Elle le découvre, commence à l'aimer. Devant la fenêtre, la louve de Jeff, rempart contre les soldats, sur l'étagère le carnet en cuir. À la place du piano, elle punaise au mur une affiche de L'Écluse. Barbara, La Chanteuse de Minuit. Elle a grandi, mais pas tant que ça.

Maman m'attend avec un délicieux ragoût. La table est dressée comme pour un jour de fête, elle papote, s'agite. Mon petit frère me sourit, complice. On dirait la tentative d'une nouvelle vie de famille. Ma mère s'applique, on dirait qu'elle veut rejouer la pièce, effacer la première version pour la remplacer par une plus jolie, mieux jouée, une qui verra ses protagonistes revenir avec plus de maturité, sans papa. Une qui ne se déroulera pas pendant la guerre. Je ne suis pas contre. Je veux bien fabriquer d'autres souvenirs. Je veux bien penser à ma mère autrement qu'en larmes, autrement que complice. Si l'on ne me demande pas de pardonner. D'accord. Je prends cette tentative. J'accepte d'en faire partie. Rejouons, maman. Alors qu'elle tournicote autour de la table, je la trouve belle. Elle s'est maquillée, son visage a pris de l'âge et pourtant, il est de plus en plus harmonieux.

Six soirs par semaine, Monique monte sur scène. On se presse pour écouter « La Chanteuse de Minuit ». Elle rentre à point d'heure, au petit jour. La maisonnée marche à pas de velours pour préserver le sommeil de la journée. La mère, souriante, lui demande qui était là hier soir, qui l'a félicitée, qui a pleuré. Barbara laisse un peu d'argent sur la table, du pain, un délicieux morceau de viande. Ou un article dithyrambique, pour la fierté.

Une dame attend à la sortie de L'Écluse, il est tard, la soirée s'est prolongée, comme souvent. La nuit est épaisse, lourde, Paris endormi. La femme s'emmitoufle dans un manteau informe qui laisse dépasser ses cheveux emmêlés, au-dessus du col. Elle a les yeux noirs et des marques profondes sur le visage. Elle s'exclame : « Barbara, mon Dieu ! », barre littéralement le passage, demande si elle peut la prendre dans ses bras, n'attend pas la réponse et l'enlace. Monique doit bien ça à son public. La femme lui kidnappe les mains entre ses vieux doigts fripés. Ses paupières s'affalent sur ses yeux, qui peinent à tenir ouverts, brillants de larmes.

— Tenez, prenez cela.

Elle retire de son annulaire droit une bague en or. L'anneau glisse mal, mais les « Non, non, non » suppliants n'y changent rien. Elle pose la bague dans la main, la referme en insistant.

— C'est pour vous, merci, vous ne saurez jamais combien je vous aime, combien ce que vous donnez est bouleversant.

Elle remonte le col de son manteau, tourne le dos pour disparaître dans la nuit, le froid, la pluie. Son alliance ! Elle m'offre son alliance ! À l'intérieur : *Jeannette et Léon, pour toujours.* J'ai pensé à la jeter, je n'ai pas pu. Inimaginable de la garder. Rangée dans une boîte, elle dérange toujours, dans une autre boîte, en haut de l'armoire, elle crie. Posée sur la table de chevet, elle m'empêche de dormir. Que voulait dire cette femme ? Pourquoi ? Je ne vais quand même pas la mettre à mon doigt ! Et hop ! Mariée à Léon !

Dans la petite salle de L'Écluse, chaque soir, je monte sur scène. Chaque soir, je suis à ma place, je donne ce que je ne réussirais à donner à personne dans la vie. Certains sont déjà venus m'écouter plus de dix fois. Ils reviennent avec des amis. Ils entendent mon cœur, mon piano-papier, ils entendent ce qu'ils ne perçoivent pas. De mon ventre à leur ventre, de mon sang à leur sang. Je ne peux pas me tromper.

Eugène vient à Paris quand il peut. Son absence est insupportable. Il passe quelques jours contre elle, puis reprend l'avion.

Chaque fois qu'ils se voient, ils se déchirent. Chacun dans l'impossibilité de changer sa vie, comme de se quitter. Eugène devient presque fou. Il l'invite en voyage quinze jours, exige d'elle qu'elle ne touche pas un seul piano. Elle accepte, pourvu qu'ils passent du temps ensemble, prévient Chevalier qu'il devra la remplacer pendant qu'elle sera en Italie, ne lui laisse pas le choix.

Elle s'engage à ne pas chanter.

Pourtant, à Venise, elle est réveillée en sursaut au milieu de la nuit. Un rêve dans lequel elle disparaît dans l'eau, se noie en hurlant, en étouffant.

Elle quitte les bras de son amant, descend l'escalier, les pieds nus sur la pierre ancienne. Une atmosphère étrange règne dans la pension. Elle perçoit des bruits, des voix. Le souffle du vent se glisse par des interstices subtils, alors qu'il n'y a pas de vent dehors. Elle passe devant le piano. Autour, les objets s'animent. Une bougie s'allume, un tableau, portrait d'un jeune homme oublié, prend vie. Vertige. Un chat approche, lent. Le visage de Ginette apparaît sur le mur, « Chante une chanson pour nous à l'Olympia », la voix de Wiener retentit, « Vous avez le chien, la faille des plus grands », la bougie lance une flamme qui s'apaise dans la fumée de l'incendie de La Mansarde, Chevalier installe un panneau devant L'Écluse, LA CHANTEUSE DE MINUIT. La louve de Jeff marche sur le piano, en équilibre, elle regarde droit dans les yeux. Son père répète, voix aux odeurs de vin, cigarette et après-rasage, « Je t'aime trop, personne ne t'aimera comme je t'aime ». Derrière son bar, Adrienne regarde par la fenêtre la chanteuse qui s'éloigne dans le soleil, et sur le chemin de cailloux, le son d'un accordéon mourant grince en dissonance. À son doigt brûle une alliance, celle de Jeannette et Léon.

S'approcher du clavier, s'asseoir sur le tabouret, ouvrir le clapet, prendre une immense inspiration. Le piano résonne dans toute la bâtisse. Les pierres se renvoient le son, les boiseries le projettent. Une femme en chemise de nuit sort de sa chambre.

— Mais enfin, au milieu de la nuit ! À quoi pensez-vous ?

Monique lui sourit, elle danse en jouant la berceuse moldave de Grany, le torse gonflé. Eugène descend, d'abord en courant, puis, lorsqu'il se perd dans le regard de Monique, il ralentit. Il comprend.

Je soutiens son regard. Dans une tempête de bonheur. Je m'arrache à lui, pour de bon. Aucun amour ne me détournera de ma voie, de mon piano. Aucun amour ne m'entendra aussi bien que mon public. Écoute, Eugène, tes mains sur ma peau ne me donneront jamais ces notes, cette intensité, cette force. Écoute Eugène, toi qui dis m'aimer, écoute qui je suis, il n'y a pas de place pour toi ici.

Elle rentre à Paris le jour même. Les amants ne se quittent pas officiellement, ils tournent autour de leur torture, ils se revoient. Monique reprend son tour de chant. C'est tout petit, L'Écluse, mais elle en est la vedette.

Dans l'appartement de la rue Vitruve, le téléphone sonne. Monique, mal réveillée, attend que sa mère réponde, mais elle n'est pas là. Traînant les pieds, elle décroche. Un homme, voix tremblante, demande à parler à Monique Serf.

— Votre père, mademoiselle. Il est à Nantes. Il souhaiterait vous voir.

Un jet de sang arrive aux oreilles, les jambes flageolent.

— Il est… Il faut venir, mademoiselle, il a demandé à vous voir. Il est très malade. Nous sommes 25 rue de la Grange-aux-Loups.

Debout dans la cuisine, une main sur le ventre, elle prend appui sur le dossier de la chaise en bois. Un bourdonnement sourd envahit ses oreilles. Les informations se heurtent à la boîte crânienne.

Aller à Nantes. Voir mon père. Prévenir Chevalier. Ne serai pas rentrée ce soir. Maman. Aller à Nantes. Mon père. Penser à trois choses : la louve, le carnet et le piano-papier.

Il pleut ce jour-là. Monique est submergée d'un mélange de peur, de colère, d'amour. Ses pas, saccadés, la perdent. Où est la rue ? Elle ne la trouve pas, ne veut pas la trouver. Heureusement qu'il pleut, l'arrogance du soleil serait insupportable. Elle s'arrête dans un café, demande son chemin, trempée des pieds à la tête. « Vous êtes tout près. » L'homme derrière le bar lui indique la prochaine à droite.

Le cœur bat à se rompre. Quels mots ? A-t-elle envie de le revoir ? Et lui ? Que va-t-il dire ? Pourquoi n'a-t-il pas appelé lui-même ?

Je vais lui dire qu'il peut vivre en paix, je suis chanteuse, je me suis sortie de sa folie. J'ai survécu. Il a le droit de savoir que je chante, que je vais bien. Après tout, il m'aimait sans doute.

Sortir de la poche une boîte de Zan, en avaler une dizaine. En un éclair, l'image du père-soldat à la sortie de l'école lui explose au visage. Son odeur, le nez blotti dans le cou de l'homme mal rasé. Des larmes se bloquent avant de rouler sur ses joues. De la haine empoisonne sa bouche. La douleur du corps tordu sous les assauts des muscles forts, la trahison, le pire. Et ce sourire mielleux qu'il avait après. Et comme il a nié. Puis ce trou laissé au creux de l'âme, l'abandon pour ultime punition. Le silence froid, blanc, en avalanche. Voilà la porte de bois, sa peinture défraîchie annonce la couleur. Elle frappe. Rien. Hésite à repartir, mais l'envie de lui crier au visage tout ce qui est retenu depuis si longtemps est plus fort et elle frappe encore. Des pas traînants râpent le sol. La porte s'ouvre de guingois, crisse sur les pierres trempées, recouvertes de mousse. Un homme bedonnant, dégarni, pull taché, ongles sales, l'interroge du regard. Dans les yeux, il comprend, ne dit rien, secoue lentement la tête. Pas un mot. Il remonte l'étroit passage qui mène à des marches, puis à une plus grande porte, il ouvre la voie. Elle le suit. Sent le froid. Derrière la grande porte vitrée, un couloir encore, délabré. Une odeur de pauvreté. Suivre dans un cauchemar. Assis autour d'une table, quatre personnes immobiles, en habits démodés, costumes noirs, les mains à plat sur le formica. Elles tournent la tête vers l'homme gros et sale, aperçoivent la grande naufragée aux cheveux courts. Elles se lèvent toutes ensemble dans un bruit de chaises. Tonnerre déchirant les tympans trop sensibles. Affolement. Les yeux regardent partout. Où est-il ? Pourquoi ces personnes ? La main se glisse sous le pardessus, se pose sur le piano-papier, sur le cœur qui ne bat plus. Toute la pièce retient son souffle. Un des messieurs s'approche, se place bien en face. Son regard évite d'abord. Implorer.

— Où est-il ?

— Il n'a pas pu vous attendre. Nous l'avons accompagné vers le Seigneur. Il voulait vous dire au revoir.

Voilà.
Ne jamais lui dire, ne jamais lui pardonner. Ne jamais le revoir.

La pièce vacille. Quelqu'un apporte une chaise. La main frotte la tempe comme pour en extraire la douleur.

Puis, au bout du couloir, une chambre. Il gît sur le lit, les mains croisées sur la poitrine, les yeux clos.

156

Il est laid. La douleur a tordu son visage, la peau est jaune, il est très maigre. Elle s'approche du cadavre, sa main se pose sur le front froid. À quoi bon ? Il ne sent plus rien.

La sœur, petite, ronde, la démarche bancale, emmène Monique dans son bureau. Les obsèques. Le prix. La messe.

— Je n'ai pas d'argent. Je ne crois pas que mon père était croyant.

Il l'était tant qu'il a habité avec eux, la nonne répond. Après qu'il a été rejeté par sa famille, le pauvre homme.

— Pardon ?

— Nous avons des modèles en chêne, qui se détériorent très lentement et garderont votre père plus longtemps.

— Je n'ai pas d'argent.

Dans la tête, les trois sous gagnés à L'Écluse. Sûr, elle achète le pain, de la viande parfois, sûr elle peut se payer un train, à peine, pour venir jusque-là. Mais non, elle ne peut pas payer ce cercueil hors de prix. Cela a-t-il la moindre importance ?

La nonne hausse les épaules. Décidément sa famille l'aura abandonné jusqu'au bout.

— Quand auront lieu les obsèques ?

— Demain, dix-sept heures. Soyez à l'heure.

Fuir la petite pièce puante et la vilaine nonne.

Dans la rue, elle respire la pluie, tente d'extirper le sabre qui la traverse de part en part, sans succès. Le trou dans le ventre. Panique.

Joue, piano, joue, je t'en supplie, joue.

Quelle musique convient à un pareil moment ? Le piano-papier effleure les touches, comme une mère caresse le crâne de son nouveau-né. Il donne de l'amour, comme on aurait dû lui en donner au lieu de la fracasser contre les rochers, au gré des tempêtes.

Vidée, épuisée, debout dans la chambre au papier peint fleuri de la première auberge croisée. À la fenêtre, la pluie tombe en trombes, pour laver. La peine est sourde. Le sentiment d'injustice donne envie de vomir. Puis, comme une évidence, elle sort du sac à main le carnet de cuir. Elle comprend ce que la femme aux yeux jaunes, de sa mort, a voulu dire, pourquoi elle insistait tant. Il ne reste plus que ça pour survivre. Elle s'assoit sur le lit, ouvre le carnet, écrit.

À l'heure de sa dernière heure, après bien des années d'errance, il me revenait en plein cœur, son cri déchirait le silence.

Il pleut sur Nantes, donne-moi la main
Le port de Nantes rend mon cœur chagrin.

Claude, mon cher petit frère, m'a rejointe. Le ciel est blanc, glacial. Les messieurs de la veille sont présents, la nonne aussi. J'écoute un homme réciter la prière des morts. Nous nous tenons debout autour de la fosse commune.

Un par un, ils s'approchent et jettent une poignée de terre sur le cercueil.

Je dépose sur le corps de mon père une brassée de roses.

Puis, elle glisse la main contre son cœur, sort de sa cachette le piano-papier. Elle le caresse, l'embrasse. Depuis l'enfance, il ne l'a pas quittée. Elle dépose son précieux piano sur les roses, dans la fosse.

Joue pour mon père, piano, joue.

La terre recouvre la musique funèbre du piano-papier. Petites pelletées d'abord, puis l'obscurité s'installe, pour l'éternité.

C'était il y a des années, on m'avait installé au théâtre des Capucines quelques mois auparavant, je m'habituais encore au lieu. Je suis un piano à queue de fabrication américaine, excellente sonorité. Ce soir, une certaine Barbara présente son récital.

J'ai vu cette grande femme brune à lunettes s'approcher de moi. Plus une gamine, non, une petite trentaine d'années. Elle était longue, mince, évanescente. Une tunique noire, fermée au cou par un petit bouton de nacre, flottait autour d'elle. Elle caressait dans une main un carnet de cuir brut. D'un sac en toile kaki élimé, elle a retiré une statuette qu'elle a posée sur mon couvercle.

Elle raturait dans le carnet, tournait les pages fébrilement, cherchait des mots. Lorsqu'elle trouvait une phrase, elle posait sur moi ses mains d'étrange pianiste, essayait des accords. Elle murmurait une mélodie. La chanson se passe à Nantes, sous la pluie.

Le brouhaha du public résonne au loin, ils entrent dans le hall. Ils boivent un verre, retrouvent leurs amis. On entend des bribes de conversations, des rires. Même à l'époque, je savais reconnaître un public au son qu'il produit en attendant le spectacle. Ce soir, la salle sera pleine. Un public chaleureux, assez jeune. Barbara est cachée derrière un pendrillon. Ses jambes ancrent son bassin, sa colonne vertébrale s'étire. Une lueur rouge vif brille dans son ventre. Ses yeux sont fermés.

Le public entre.

Les trois premiers rangs sont réservés. Je vois débarquer un à un les journalistes les plus influents. Ils se toisent les uns les autres. Ils sont tous venus écouter la Chanteuse de Minuit, sortie pour une fois de son Écluse. Je me dis qu'elle n'a pas intérêt à se planter.

Les lumières de la salle s'éteignent. Le silence emplit les murs. Elle est incandescente lorsqu'elle s'approche de moi, à pas félins, sous des applaudissements timides. Je n'en suis pas à mon premier concert, j'en ai vu d'autres. Mais je bondis lorsque je l'entends m'adresser la parole. Oui. Elle me parle. Une voix intérieure, grave, gutturale. Il y a au fond d'elle un son, des mots, capables de m'atteindre.

— Ce soir, piano, je vais chanter *Nantes*, pour la première fois. Je l'ai terminée tout à l'heure. Des semaines que je la travaille. C'est ma chanson. Ma mère est dans la salle.

Elle commence son récital. Franchement j'ai un peu oublié. Ce qui est inscrit dans ma mémoire, c'est *Nantes*.

— Maintenant, piano, c'est maintenant que je chante *Nantes*, tu es prêt ?

Elle ne présente pas le morceau. Quelques accords, puis sa respiration suspendue dans l'air. *Il pleut, sur Nantes...* Deux phrases et la voix qui raconte si fort que la scène devient le décor baroque de visions hallucinatoires. Dans le dos de la chanteuse, poussent d'immenses ailes noires, un peu sales, des ailes qui ont volé souvent. Puis son visage se transforme. Un museau brun bouscule ses traits, des oreilles poussent sur son front. On dirait un loup. Une louve. Du tabouret devant moi, Barbara-la-louve prend son envol, je la regarde traverser la scène à grands coups d'ailes. Elle se dirige sans hésitation vers une petite maison en pierre dont les fenêtres sont allumées, dans la nuit. L'animal pose les pieds au sol, renifle, tourne autour de la bâtisse. Puis pénètre par la fenêtre de la chambre du haut. Son corps est disproportionné, elle force pour entrer. Un homme massif se tient debout devant une porte. Il hésite. Dans une chambre, une petite fille aux longs cheveux noirs, chemise de nuit, enfournée sous les couvertures, pianote sur un bout de papier. L'homme pose la main sur la poignée de la porte. Tourne très doucement le pommeau doré. La louve, qui retenait son souffle jusque-là, pousse un hurlement déchirant, traverse la fenêtre du couloir dans un fracas glaçant, se jette sur l'homme, le repousse en griffant son visage avec ses pattes avant, les gestes sont rapides, précis, félins. L'homme tombe au sol, sidéré par l'apparition. D'une main, il inspecte son visage couvert de sang. Il se traîne vers l'arrière, cherche à s'éloigner du monstre. La bête se poste devant la chambre de la petite fille, qui continue de pianoter sur son bout de papier. Des pieds jusqu'à la tête, jusqu'au bout des ailes, le corps de l'animal devient pierre.

163

La maison disparaît, entraînant dans ses ténèbres l'homme, la petite fille, la louve ailée.

Quelqu'un entre dans la salle, discrètement. Il est grand, très maigre, émacié, les joues creuses et jaunes, le regard disparu derrière des paupières gonflées. Il vient de la pluie, ses vêtements sont trempés. Il se poste debout contre un mur, les mains dans le dos, le menton relevé. Barbara, au piano, les ailes déployées, s'élève à nouveau dans les airs. Elle se tient droite. De ses ailes noires coule du sang, goutte à goutte. Ses pieds, à un mètre du sol, sont d'une pâleur effrayante. Dans la salle, une lumière dorée éclaire soudain une femme, tout au fond. Elle pleure.

— Voilà ma mère, piano.

Barbara retombe sur la scène, sans un bruit.

L'homme émacié, debout, a le front baissé, la nuque offerte.

La scène se recouvre de terre, puis s'ouvre en deux. Un trou béant s'étale. Quelques personnes masquées apparaissent autour. Tous habillés de noir. Des roses pleuvent du ciel. Elles tombent dans la fosse.

Barbara, sur scène, suspend le temps. Ses mains se retrouvent en apesanteur au-dessus du piano. Elle chante, déchirante. *Mon père, mon père...*

Silence.

L'absence qui suit la chanson.

Puis, un tonnerre d'applaudissements. Le public est subjugué. C'est un triomphe.

Dans la salle, je résonne du *fa* mineur, tremblant. Chaque harmonique se dissipe en distorsion. En retenant mon souffle, je regarde l'onde du son qui, avant de s'évaporer vers le ciel, vient se poser sur la nuque de la chanteuse, tournoie autour de son cou, traverse son torse, joue sur sa peau. Barbara inspire par le nez, longuement. Un sourire point sur son visage. Elle jette sa tête vers l'arrière pour mieux prendre la lumière. Le public continue d'applaudir.

J'en frissonne encore.

Elle fut longue la route, et je l'ai faite la route, celle-là qui menait jusqu'à vous. Et je ne suis pas parjure, si ce soir, je vous jure que, pour vous, je l'eusse faite à genoux. Il en eût fallu bien d'autres que quelques mauvais apôtres, et l'hiver et la neige à mon cou, pour que je perde patience, et j'ai calmé ma violence. Ma plus belle histoire d'amour, c'est vous.

Barbara.

Merci à Juliette Joste, ma précieuse éditrice.

Merci à ceux qui m'ont accompagnée dans ce périlleux voyage en compagnie de Barbara : Nicolas Richard, Bill et Beth Weigel, Claire Bourdeau-Mury, Anne-Laure Rouxel, Justine Richard, Marine Pourquier, Anne Hughes, Élise Thérain-Faure, mon père et ma mère, Emma Aronson, Danièle et Jean-Robert Richard.

J'ai puisé mon inspiration dans les chansons, les vidéos de Barbara, dans mon imagination, mais aussi dans certains ouvrages ou sites Web, que je remercie et dont voici la liste :

Il était un piano noir... Mémoires interrompus, Barbara, Livre de Poche.

Barbara, Marie Chaix, Libretto.

Barbara, claire de nuit, Jérôme Garcin, Folio.

Barbara : portrait en clair-obscur, Valérie Lehoux, Fayard/Chorus.

http://www.passion-barbara.net

Faites de nouvelles rencontres sur pocket.fr

- Toute l'actualité des auteurs : rencontres, dédicaces, conférences...
- Les dernières parutions
- Des 1ers chapitres à télécharger
- Des jeux-concours sur les différentes collections du catalogue pour gagner des livres et des places de cinéma